GRIMMELSHAUSEN · GESAMMELTE WERKE
IN EINZELAUSGABEN

Unter Mitarbeit von
Wolfgang Bender und Franz Günter Sieveke
herausgegeben von Rolf Tarot

GRIMMELSHAUSEN

Lebensbeschreibung

der Ertzbetrügerin und Landstörtzerin

Courasche

Herausgegeben von

Wolfgang Bender

Max Niemeyer Verlag Tübingen 1967

*Abdruck der Erstausgabe (1670) mit den Lesarten der späteren
unrechtmäßigen und der zweiten rechtmäßigen Ausgabe*

———

Mit 2 Abbildungen im Text und 4 Abbildungen auf Tafeln

INHALT

EINLEITUNG

Mehrfach wurde in der literarhistorischen Forschung auf den Zusammenhang zwischen Grimmelshausens Hauptwerk, dem „Simplicissimus", und den Simplicianischen Schriften ausdrücklich hingewiesen. Hans Heinrich Borcherdt sieht die Einheit der Schriftenfolge „in der weiteren Durchführung der Grundidee des Romans".[1] Über diesen gemeinsamen Grundcharakter hinaus, der auch in der besonderen Erzähltechnik zum Ausdruck kommt, finden sich jedoch weitere Übereinstimmungen philologischer Art insofern, als z. B. die Textverhältnisse der „Courasche" in auffallender Weise denen des „Simplicissimus" gleichen. Wenn auch die Darstellung der Überlieferungsgeschichte der „Courasche" weit weniger kompliziert erscheint als die des „Simplicissimus", so stellt doch die Ausgabe E^{2a} unseres Textes den Herausgeber vor Probleme, wie sie sich auch aus der E^{3a}-Ausgabe des großen Romans ergeben. Der Verlust der beiden E^{2a}-Exemplare (= Scholte CgB), die Jan Hendrik Scholte in der ehemaligen Preußischen Staatsbibliothek Berlin und in der Universitätsbibliothek Breslau nachgewiesen hatte, wirkt sich in diesem Sinne besonders negativ aus. So bleiben denn die Varianten von E^{2a}, die Scholte seinem Neudruck von 1923 beifügte, die einzige Stütze für den Lesartenapparat der vorliegenden Ausgabe, wenigstens solange kein Exemplar aufgefunden wird. Bei der Darstellung der Überlieferungsgeschichte der „Courasche" berücksichtigen wir lediglich die zu Lebzeiten Grimmelshausens erschienenen Ausgaben, nicht also die posthumen Ausgaben.

E^1

In einem „Glückwünschenden Zuruff an den unvergleichlichen Herrn, Herrn Joh. Christoff von Grimmelshausen", welcher dem

---

[1] H. H. Borcherdt: Grimmelshausens Werke in vier Teilen. Berlin (1921). Vorwort zum 1. Teil, S. XLIX.

Roman ,,Dietwalt und Amelinde" beigegeben ist, spricht Urban von Wurmsknick auch von der ,,Courage":

Mit höchstgierigem Verlangen wart ich was Courage sagt,
Ob sie noch führt schlimmes Leben, und nach Frömmigkeit
nichts fragt.[2]

Im ,,Sonnet" von ,,Sylvander", das ,,Dietwalt und Amelinde" vorangestellt ist, wird ebenfalls der ,,Courage alt" gedacht.[3] Diese erste Erwähnung ist deshalb von so großer Bedeutung, weil das Titelblatt der ,,Courasche" keine Jahreszahl trägt. Wenn wir bedenken, daß die Widmungsvorrede zu ,,Dietwalt und Amelinde" das Datum vom 3. März 1669 trägt[4], so ergibt sich daraus die Folgerung, daß Grimmelshausen zu diesem Zeitpunkt mit seinen Arbeiten zur ,,Courasche" beschäftigt war, daß er sie vielleicht sogar weitgehend abgeschlossen hatte. Angekündigt wurde die Erstausgabe sowohl im Katalog der Frankfurter als auch der Leipziger Ostermesse von 1670 durch Wolff Eberhard Felßecker, den Nürnberger Verleger des Dichters:

> Germ. Schleifheims außführliche Lebens Beschreibung der Ertzbetrügerin und Landstürtzerin Courage. Ibid. ap. eund. in 12.[5]

Der Vermerk im Leipziger Katalog unter ,,Libri futuris nundinis prodituri" lautet:

> Germ. Schleiffheims ausführliche Lebens≈Beschreibung der Ertz≈betrügerin und Landstürtzerin Courage. Ibid. apud eundem in 12.[6]

---

[2] Abgedruckt bei J. H. Scholte: Probleme der Grimmelshausenforschung. Groningen 1912. S. 142–144. Jetzt auch im Neudruck von ,,Dietwalt u. Amelinde", hrsg. v. Rolf Tarot. Tübingen 1967. S. 103.

[3] Scholte: Probleme, S. 141. Im Neudruck S. 7.

[4] Scholte: Probleme, S. 139. M. Koschlig, Grimmelshausen und seine Verleger. Leipzig 1939, betont mit Recht, daß die genaue Abfassungszeit des ,,Zuruffs" und des ,,Sonnets" von diesem Datum aus nicht erschlossen werden kann (S. 209, Anm. 8).

[5] Koschlig: Grimmelshausen u. s. Verleger, S. 4. Ostermesse 1670, Frankfurt. Das ,,Ibid. ap. eund." weist auf ein im Katalog vorher genanntes Werk, das in Nürnberg bei Wolff Eberhard Felßecker erschienen war.

[6] A. Bechtold: Grimmelshausens Schriften in den Meßkatalogen 1660–1675. In: Euphorion 23 (1921), S. 496–499. Vgl. S. 498.

Einen sicheren Beweis dafür, daß die Ausgabe bereits zur Herbstmesse 1670 im Handel gewesen sein muß, sieht Koschlig in der
Tatsache, daß sie unter dem Titel „Trutzsimplex, ou Vie de la
Dame Courage. 12." in einem französischen Bücherverzeichnis
zu diesem Zeitpunkt als erschienen aufgeführt wird.[7]
Der Ende 1670 erschienene „Springinsfeld", der die „Courasche"
voraussetzt, enthält überdies einen Hinweis auf besagtes „Trac-
tätel" – nämlich die „Courasche" –, auf das der Erzähler aber
nicht weiter eingehen will, weil seine Heldin „es ohn Zweifel
bald trucken lassen wird".[8] Auffallend ist also die geraume Zeit-
spanne, die zwischen der Abfassung und dem Erscheinen (spä-
testens zur Herbstmesse 1670) liegt. Koschlig begründet dies
mit buchhändlerischen Erwägungen. Einmal hatte Felsecker
Mühe, den Simplicissimus-Nachdruck durch Georg Müller in
Frankfurt abzuwehren, weiterhin wollte er durch ein zu frühes
Erscheinen der „Courasche" den Verkauf des „Simplicissimus"
nicht gefährden.[9]
Das Titelblatt der editio princeps – und dies gilt auch für E^{2a}
und E^3 – gibt als Verfasser „PHILARCHUS GROSSUS von
Trommenheim" und als Verleger „Felix Stratiot" an. Grimmelshausen bediente sich also zweier Pseudonyme. Scholte erkannte
als erster in dem fiktiven Namen die anagrammatische Umschrei-
bung von Christopherus von Grimmelshausen und brachte den
Namen Felix Stratiot mit dem Nürnberger Verleger Wolff Eberhard Felßecker in Zusammenhang.[10] Diese Ausgabe hat folgendes
Aussehen:

---

[7] Koschlig: Grimmelshausen u. s. Verleger, S. 210, Anm. 9. Der Titel
des Verzeichnisses lautet: MEMOIRE DE DIVERS LIVRES
NOVVEAVS & AVTRES, receus de la FOIRE DE FRANCFORT
SEPTEMBRE M,DC,LXX. Par I. Ant. & Samuel DE TOVRNES
Marchands Libraires de Geneve. (Abt. „Livres en Allemand").

[8] Das „bald" ist nach Koschlig „vom Zeitpunkt der Abfassung dieser
Stelle aus zu verstehen (a. a. O., S. 210, Anm. 11). Textbeleg in:
Grimmelshausens „Springinsfeld". Hrsg. von J. H. Scholte. Halle
1928. S. 29. Zur Chronologie von „Courasche" und „Springinsfeld"
vgl. Scholtes Einleitung zu letzterer Schrift, S. VI ff.

[9] Koschlig: Grimmelshausen u. s. Verleger, S. 211.

[10] Scholte: Probleme, S. 58–72 u. 168. Vgl. auch seine Einleitung zur
„Courasche". Halle 1923. S. XXI.

Format 12°, 264 pag. Seiten, 25 Zeilen.

TITELBLATT: Vgl. Faksimile S. 5.

TITELKUPFER: Vgl. Faksimile S. 2/3.

PAGINIERUNG: Seitenzahlen in der Mitte ohne Verzierung. Rückseite von S. 263 leer u. nicht paginiert. Unbez.: S. 1 u. 2. Falsch[11]: S. 172 (171). Paginierung springt von S. 232 (= Bogen $K\,10^v$) auf S. 239 (Bogen $K\,11$).

BOGENZÄHLUNG: A – B – C – D – E – F – G – H – J – K – L.

BOGENSIGNATUREN: [A]; Aij; $Aiij$; $Aiiij$; Av; Avj; $Avij$; ($A8$–$A10$ unbez.); B; Bij; $Biij$; $Biiij$; Bv; Bvj; $Bvij$; ($B8$–$B12$ unbez.); C; Cij ...
Fehlt: $A11$ und $A12$. Unbez.: A und Lv.

KUSTODEN: Unterschiede zwischen Kustode und Textanschluß: S. 84/85 haffeten | haffetē – 111/112 sem | sen – 120/121 tet / | tet : – 148/149 trauen | trauen/ – 165/166 me/ | me – 166/167 ge ge= | gebrauchte – 183/184 Ich | konte – 186/187 den | den / – 188/189 nach | nachdem – 200/201 voß | voß / – 214/215 seinen | seinem – 225/226 sche / | sche – 239/240 selben | selbigen – 240/241 gaben | gaben / – 252/253 Jn | JN – 255/256 sammen / | sammen
Fehlende: S. 2 (unbez.).

TYPOGRAPHIE: Wiederholung der Inhaltsangaben vor jedem Kapitel. Keine Kolumnentitel. Typographisch abweichend: S. 79,17–92,9 größere Typen, 21 Zeilen; S. 248–264 kleinere Typen, 30 Zeilen.

BUCHSCHMUCK: Vignetten: S. 2; 10 (= 44; 92); 18 (= 264); 215; 244.

GLIEDERUNG

---

[11] Die Zahl in runder Klammer bedeutet die richtige Seitenzahl.

EXEMPLARE

	Signatur
Stadt- und Universitätsbibl. Frankfurt/M.	Bibl. Hirzel 132
Nieders. Staats- u. Universitätsbibl.	
Göttingen	8⁰ Fab. VI, 1755 Rara
Marienbibliothek Halle/Saale	in: 4, 52
Bayer. Staatsbibl. München	Rar. 567
Universitätsbibliothek Tübingen	DK XI, 461 h[13]

E[2a]

Bei seinen Vorarbeiten zum Neudruck der ,,Courasche" stieß
J. H. Scholte auf ein Exemplar der Preußischen Staatsbibliothek
in Berlin, das genau die sprachlichen Änderungen wie die Aus-

---

[12] Wir weisen hier kurz auf Seite u. Zeile der übrigen Kapitel: Kap. IV:
    37,1 – V: 45,1 – VI: 55,16 – VII: 64,6 – VIII: 72,11 – IX: 79,15 –
    X: 93,1 – XI: 101,18 – XII: 108,13 – XIII: 116,11 – XIV: 126,10 –
    XV: 136,4 – XVI: 147,21 – XVII: 156,17 – XIIX: 166,6 – XIX:
    177,15 – XX: 190,9 – XXI: 195,4 – XXII: 205,6 – XXIII: 216,1 –
    XXIV: 225,16 – XXV: 232,6 – XXVI: 245,1 – XXVII: 252,21.
[13] Im Frankfurter Exemplar fehlt das Titelkupfer; das Tübinger Ex-
    emplar ist teilweise beschädigt u. weist auf den Seiten 12, 13, 14, 15,
    16 Ergänzungen von unbekannter Hand auf (ohne jedoch Fehler
    in den Text zu bringen).

gabe E³ᵃ (= Scholte üSS 1669) des Simplicissimus aufweist. Ein
weiteres Exemplar dieser überarbeiteten Ausgabe fand er in der
Universitätsbibliothek Breslau. Schreibt sich der Name der
Heldin auf dem Titelblatt von E¹ – und von E³ – „Courasche",
so erscheint er auf dem Titelblatt von E²ᵃ als „Courage". Die
Minuskel g bewog Scholte, dieser Ausgabe die Sigle CgB zu
geben (B nach dem Standort der Exemplare in Berlin und Breslau). Scholtes Verdienst ist es auch, als erster die sprachlichen
Eingriffe ausführlich dargestellt zu haben.[14] Als ein Hauptkrite-
rium erwies sich dabei die Wortfolge im Nebensatz (Nebensatz
mit abhängiger Wortfolge). Von Bedeutung sind ferner: die Tren-
nung konzessiver Konjunktionen in E²ᵃ gegenüber E¹ (z. B. obzwar er E¹: ob er zwar E²ᵃ), die Modernisierung der Deklination
von Substantiven, Adjektiven und Pronomen und die Behand-
lung der Fremdwörter, deren Verdeutschung in einigen Fällen in
Klammern erläuternd hinzugefügt werden (i. Gegensatz zum Simplicissimus E³ᵃ, wo die Fremdwörter einfach ersetzt werden).[15]
Scholte sah in E²ᵃ eine Gemeinschaftsleistung von Dichter und
Verleger, also eine rechtmäßige Überarbeitung, und wandte sich
entschieden gegen H. H. Borcherdts These von der Unrecht-
mäßigkeit der Ausgabe.[16] Borcherdt stützte sich hauptsächlich
auf das mit „A. Aubry" (= Abraham Aubry in Frankfurt/M.)
signierte Titelkupfer von E²ᵃ. Er erkannte es als einen „schlechten Nachstich" des E¹-Kupfers.[17]
Borcherdts Mutmaßungen wurden dann 1939 von M. Koschlig
bestätigt. In seiner Studie „Grimmelshausen und seine Verleger"
wies er nach, daß der Urheber des Simplicissimus E³ᵃ, der

---

[14] Vgl. seinen grundlegenden Aufsatz: Einige sprachliche Erscheinungen in verschiedenen Ausgaben von Grimmelshausens Simplicissimus und Courasche. In: PBB 40 (1915), S. 268–303. Ferner: Die
sprachliche Überarbeitung der Simplicianischen Schriften Grimmelshausens. In: Zs. f. Bücherfreunde N. F. 12 (1920), S. 1–21.
[15] Weitere Beispiele bei Scholte: Einige sprachliche Erscheinungen,
S. 278 ff. Ferner auch: Einleitung zur „Courasche", S. XXXIX ff.
Die Fremdwörter ebda., S. XLIII.
[16] Scholte: Einl. zur „Courasche", S. XLVII.
[17] Borcherdt: Die ersten Ausgaben von Grimmelshausens Simplicissimus. München 1921. S. 33 f.

Frankfurter Verleger Georg Müller, auch der Nachdrucker und Überarbeiter der Ausgabe E²ᵃ der „Courasche" gewesen sein muß.

Sehr wahrscheinlich hat die schlechte finanzielle Lage seines Unternehmens Müller zu diesem Nachdruck bewogen. Der Drukker der Ausgabe war – nach Koschligs Typenvergleich – der Schwager Georg Müllers, Johann Nicolaus Humm aus Frankfurt/M. Kaum ein anderer Drucker hätte für den in Not geratenen Verleger diese Arbeit übernommen.[18]

Die Vorlage für die Überarbeitung war die Ausgabe E¹, wie eine Reihe übereinstimmender Druckfehler und gemeinsamer Abweichungen gegenüber E³ erkennen läßt.

Das Titelblatt von E²ᵃ trägt weder eine Jahreszahl noch einen Druckervermerk. Weder der Frankfurter noch der Leipziger Meßkatalog enthält einen Hinweis auf diese Ausgabe. Nach Ansicht Koschligs kommt als frühester Erscheinungstermin die Ostermesse 1671, als spätester Zeitpunkt die Herbstmesse dieses Jahres in Betracht.[19] Scholte äußerte nach der Entdeckung der E²ᵃ-Exemplare die Hoffnung, außer diesen noch weitere zu finden: „Vermutlich werden sich auch von dieser Auflage mehr Exemplare erhalten haben".[20] Die Nachforschungen sowohl in allen erreichbaren öffentlichen Bibliotheken als auch in privaten Sammlungen blieben jedoch ergebnislos. Der von M. Koschlig verwaltete bibliographische Handapparat Scholtes war dem Herausgeber leider nicht zugänglich. Die von Scholte nachgewiesenen Exemplare gehören, nach genauen Nachforschungen der Bibliotheken, zu den Kriegsverlusten. Eine exakte Beschreibung von Aussehen und Gliederung der Ausgabe ist deshalb nicht möglich. Die folgenden Angaben stützen sich auf die Mitteilungen Scholtes.

TITELBLATT: Truß Simpler: | Oder | Außführliche und wunderseltzame | Lebens=Beschreibung | Der Ertzbetrügerin und Landstürtzerin | COURAGE / | Wie sie Anfangs eine Rittmeisterin / her= | nach eine Hauptmännin / ferner eine Leutenan= | tin / bald eine Marcketenterin / Mußquetirerin / und | letztlich eine Ziegeu=

---

18 Koschlig: Grimmelshausen u. s. Verleger, S. 215f.
19 Ebda., S. 212.
20 Scholte: Die sprachliche Überarbeitung, S. 20.

nerin abgegeben / Meister= | lich agiret / und außbündig vor= | gestellet. | Eben so lustig / annemlich und nutzlich zu | betrachten / als Simplicissimus selbst. | Alles mit einander | Von der Cou= rage eignen Person dem | weit und breitbekandten Simplicissimo zum | Verdruß und Widerwillen / dem Autori | in die Feder dictirt, der sich vor dißmahl | nennet. | PHILARCHUS GROS- SUS von | Trommenheim / auf Griffsberg / ꝛc. | (Vignette) | Gedruckt in Utopia / bey Felix Stratiot.[21]

TITELKUPFER[22]

PAGINIERUNG: Nach Scholtes Angaben (im CgB-Apparat) 164 S.
Unbez.: S. 1 u. 2.

GLIEDERUNG

	Titelkupfer (Doppelblatt)
[1]	Titelblatt
[2],1–2	Erklährung des Kupffer=Tituls:	Die den geneigten Leser anredende Courage.
3–162	Text (28 Kapitel)
163,1	Zugabe des Autors.
164,1	Warhafftige Ursache und kurtzgefaßter Einhalt dieses Trac= tätleins.

EXEMPLARE

	Signatur
Deutsche Staatsbibl. Berlin	in: Yu 5631
Universitätsbibliothek Breslau	Litt. Teut. III Ddz. i u 1.

Beide Exemplare gehören zu den Verlusten des letzten Krieges.

---

[21] Angabe nach dem Titelfaksimile bei Scholte: Die sprachl. Über-arbeitung, S. 1. Ferner: Einl. zur „Courasche", S. XLI.
[22] Ein Faksimile bei Scholte: Die sprachl. Überarbeitung, S. 5. Ferner: Einleitung, XLIX.

Eine zweite, rechtmäßige Ausgabe, E³ (= Scholte CM; M nach
dem Meininger Exemplar), erschien ebenfalls ohne Jahreszahl
und Druckervermerk. Ihr Verleger war wiederum Wolff Eberhard
Felßecker in Nürnberg. Ihre Vorlage war offensichtlich die Ausgabe E¹, von der sie sich nur in wenigen Einzelheiten unter-
scheidet. Auf keinen Fall handelt es sich aber um einen bloßen
Doppeldruck. Scholte unterzog beide Ausgaben einem eingehenden Vergleich und stellte dabei die Priorität von E¹ heraus.[23]
Ein wichtiges Indiz ist die Paginierung des Bogens Ҟ. Während
die Seitenzählung in der editio princeps von 232 auf 239 springt,
zeigt die Ausgabe E³ den mißlungenen Versuch einer Berichtigung: 232, 233, 234, 241, 236, 243, 244.
Auch über den Erscheinungstermin dieser Ausgabe läßt sich
nichts Genaues sagen. Koschlig nimmt an, daß sie ,,erst län-
gere Zeit nach dem verhältnismäßig spät anzusetzenden Be-
kanntwerden des Nachdrucks'' (E²ᵃ) – also Oster- oder Herbstmesse 1671 – erschienen ist.[24] Die Meßkataloge enthalten keine
Hinweise. Diese Ausgabe hat folgendes Aussehen:

TITELBLATT: Trutz Simplex: | Oder | Ausführliche und wunder-
seltzame | Lebens-Beschreibung | Der Ertzbetrügerin und Land-
störtzerin | Courasche/ | Wie sie anfangs eine Rittmei- | sterin/
hernach eine Hauptmännin / ferner | eine Leutenantin / bald
eine Marcketente- | rin / Mußquetirerin / und letzlich eine | Zi-
geunerin abgegeben / Meister- | lich agiret / und ausbündig | vor-
gestellet: | Eben so lustig / annemlich uñ nutz- | lich zu betrach-
ten / als Simplicissi- | mus selbst. | Alles miteinander | Von der
Courasche eigner Per- | son dem weit und breitbekanten Simpli- |
cissimo zum Verdruß und Widerwillen / dem | Autori in die

---

[23] A. Bechtold hielt E³ für einen bloßen Doppeldruck. Vgl. Vom
Drucker des Simplizissimus. In: Die Bücherstube 4 (1925), S. 100,
Anm. 47. Scholtes Vergleich in seiner Studie: Grimmelshausen u.
die Illustrationen seiner Werke. In: Zs. f. Bücherfreunde. N. F. IV
(1912), S. 1 ff. u. 31 ff.
[24] Koschlig: Grimmelshausen u. s. Verleger, S. 218.

Feder dictirt, der sich vor | dißmal nennet | PHILARCHUS GROSSUS von Trom= | menheim / auf Griffsberg / ꝛc. | (Vignette, schmale) | Gedruckt in Utopia / bei Felix Stratiot.

TITELKUPFER: Wie E[1].

PAGINIERUNG: Wie E[1]. Falsch: S. 232–243 (vgl. Bemerkungen zu Bogen К).

BOGENZÄHLUNG: Wie E[1].

BOGENSIGNATUREN: Wie E[1]. Falsch: Gij (Gvij).[11]

KUSTODEN: Unterschiede zwischen Kustode und Textanschluß: S. 7/8 Das | Daß – 55/56 godiz | godiß – 68/69 Herß | Herß= liebsten – 91/92 nahm/ | nahm – 97/98 bahr | bar – 111/112 sem | sen – 116/117 zu | erscheinen – 120/121 tet/ | tet: – 148/149 trauen | trauen/ – 150/151 rats= | raths – 165/166 me/ | me – 166/167 ge | gebrauchte – 177/178 vor | deinen – 183/184 Ich | konte – 188/189 nach | nachdem – 214/215 seinen | seinem – 225/226 sche/ | sche – 226/227 Saur= | Sauerbrunnen – 233/234 selben | selbigen – 234/241 (falsche Zählung) gaben | gaben/ | 250/251 me | me ; – 255/256 sammen/ | sammen

TYPOGRAPHIE: Wie E[1].

BUCHSCHMUCK: Vignetten: S. [2] (wie E[1]); 10 (= 18; abweichend von E[1]); 44 (wie E[1], 10); 92 (abw. von E[1]); 215 (=264; wie E[1], 18); 244 (wie E[1], etwas kleiner).

GLIEDERUNG
Stimmt mit E[1] überein.

EXEMPLARE

	Signatur
Landesbibliothek Coburg	Cas A 1221
Nieders. Landesbibliothek Hannover	Lh 2077
Yale University Library New Haven (Conn.)	Zg 17 G 88 670t
Herzog-August-Bibliothek Wolfenbüttel	Lo 2316
Zentralbibliothek Zürich	Gal CH 787

Zum Neudruck

Dem vorliegenden Neudruck liegt die Editio princeps zugrunde. Der Lesartenapparat enthält die Abweichungen der Ausgaben E[2a] und E[3], wobei, wie schon bemerkt, für die unrechtmäßige Ausgabe lediglich der Apparat der Scholteschen Ausgabe von 1923 zur Verfügung stand.

Der Text der Erstausgabe wurde nach dem Exemplar der Niedersächs. Staats- und Universitätsbibliothek Göttingen kritisch geprüft. Zum Vergleich herangezogen wurden die Exemplare der Stadt- und Universitätsbibliothek Frankfurt/M., der Marienbibliothek in Halle/Saale, der Bayerischen Staatsbibliothek München (Fotokopien u. Mikrofilm in Auszügen) und der Universitätsbibliothek Tübingen.

Orthographie und Interpunktion der Erstausgabe waren für den Neudruck maßgebend. Die Schreibung der Umlaute å, o̊, ů mußte im Text durch ä, ö, ü wiedergegeben werden. Dies gilt auch für die Lesarten. Die häufig auftretende Form ꝛ wurde als r wiedergegeben. Bei der Aufstellung der Lesarten stützten wir uns auf folgende Exemplare: für E[2a] auf den Neudruck von Scholte; für E[3] auf das Exemplar der Herzog-August-Bibliothek Wolfenbüttel. Die Exemplare der Nieders. Landesbibliothek Hannover, der Zentralbibliothek Zürich und der Yale University Library (Auszüge) wurden mitverglichen.

Die Grundsätze zur Gestaltung des Lesartenapparates behandelt Rolf Tarot in seiner Einleitung zur Ausgabe des „Simplicissimus". Wir können uns daher hier mit kurzen Hinweisen begnügen.

I. Zur Berichtigung von Druckversehen vgl. das „Verzeichnis der berichtigten Druckversehen", S. XXI.

II. Aufgelöste Abkürzungen im „Verzeichnis der aufgelösten Abkürzungen", S. XXI.

III. Sonstige Änderungen verzeichnet der Apparat in folgender Weise:
1. Änderung auf Grund von E[2a]: z. B. 55,27 welche E[1.3] (im Text welcher E[2a]).
2. Änderung auf Grund von E[3]: z. B. 87,30 fönnte E[1.2a] (im Text fonnte E[3]).

3. Änderung auf Grund von E^{2a} und E^3: z. B. 100,8 wären E^1 (im Text waren $E^{2a.3}$).

4. Änderung ohne Stütze in einer oder in beiden Ausgaben: z. B. 137,11 Herbſt-Zeiten $E^{1.2a.3}$ (im Text Herbſt-Hauſen) oder müſten $E^{1.3}$, müſte E^{2a} (im Text müſſen).

Stillschweigende Änderungen erfolgen in keinem Falle. Nicht geändert wurden die zahlreichen scheinbar falschen Dative und Akkusative, z. B. 73,18–19 der Corporal ſagte ihn oder 69,4–5 er muſte ... dem König ſelbſt ſcheuen. Solche Formen sind in der damaligen Zeit durchaus legitim.[25]

Variiert eine Lesart von E^{2a} gegenüber E^3 orthographisch oder typographisch, so kommt der rechtmäßigen Ausgabe E^3 im Apparat Vorrang zu. In solchen Fällen wird nur ihre Schreibweise angegeben, z. B. 42,1 zupraetendiren E^{2a}: zu praetendiren E^3; Lesart: zu praetendiren $E^{2a.3}$.

Nur in Zweifelsfällen, d. h. wenn sich für den Leser Zweifel ergeben könnten, wo er eine Lesart einzuordnen hat, wurden die Lesarten mit einer Lemmaklammer angegeben, z. B. 59,16 zu] ſo E^3; 62,16 zweyte] andre E^{2a}.

Texterweiterungen werden grundsätzlich an das vorhergehende Wort angeschlossen, z. B. 79,4 Vatter/fein E^{2a}; 94,11 mir mit E^{2a}. Längerer identischer Text wird mit ~ gekennzeichnet. Ansonsten gelten alle von Tarot aufgestellten Editionsprinzipien.

Nicht aufgenommen wurden rein orthographische oder typographische Varianten. Die von Tarot aufgeführten Fälle im ,,Simplicissimus" berühren sich aufs engste mit der ,,Courasche".[26] Wir begnügen uns deshalb mit einigen wenigen Beispielen:

---

[25] Vgl. dazu Virgil Moser: Frühneuhochdeutsche Grammatik. § 133, Bd. I, 3, S. 93 (unter 2) u. § 134, S. 97, Anm. 3. Auch: Georg Baesecke: Die Sprache der Opitzischen Gedichtsammlungen. Diss. Göttingen 1899, § 18.

Scholte empfiehlt (mit dem Hinweis ,,zu lesen") in fast allen Fällen die Lesung im Sinne unserer heutigen Grammatik (also: den König: sagte ihm usw.)

[26] Vgl. R. Tarots Einleitung zum Neudruck des ,,Simplicissimus".

nemlich $E^{1.3}$ — nemblich E^{2a}

darum $E^{1.3}$ — darumb E^{2a}

Stabt $E^{1.3}$ — Stat E^{2a}

Gelt $E^{1.3}$ — Geld E^{2a}

erdappete $E^{1.2a}$ — erdapbete E^{3}

Trompeten $E^{1.3}$ — Trompetten E^{2a}

Vatter $E^{1.3}$ — Vater E^{2a}

Gewinngen $E^{1.3}$ — Gewingen E^{2a}

Grißgrammenden $E^{1.3}$ — Grißgramenden E^{2a}

unerfättliche $E^{1.3}$ — unerfätliche E^{2a}

Manier $E^{1.3}$ — Manir E^{2a}

empfieng $E^{1.3}$ — empfing E^{2a}

Käiserisch $E^{1.3}$ — Kayserisch E^{2a}

Grauen $E^{1.3}$ (u = v) — Grafen E^{2a}

Leibäignen $E^{1.3}$ — Leibeignen E^{2a}

Reymen E^{2a} — Reimen E^{3}

zu säubern $E^{1.3}$ — zufäubern E^{2a}

In zwei Fällen ergaben sich auf Grund des Scholteschen Apparates Unklarheiten insofern, als er Formen in die E^{2a}(CgB)-Lesarten aufnahm, die mit denen von $E^{1.3}$ identisch sind: 39,26 schlägt sich $E^{1.3}$: schlägt sich E^{2a}; 46,7 gemacht hatte $E^{1.3}$: gemacht hatte E^{2a}. Sie wurden nicht in den Apparat aufgenommen. Der vorliegende Neudruck beruht nicht auf einem Neusatz, der gewiß ästhetisch vorteilhafter gewesen wäre, sondern auf dem Drucksatz der Ausgabe Scholtes von 1923. Die vom Herausgeber gemachten Änderungen ließen sich durch Tekturen einarbeiten. Die alte Seiten- und Zeilenzählung Scholtes ließ sich jedoch nicht beibehalten, ergaben sich doch durch die Änderung des Apparates Verschiebungen, die eine neue Zählung notwendig machten. Bei allen vorgenommenen Änderungen wurden die bisher vorliegenden Ausgaben herangezogen, insbesondere die Edition Adelbert von Kellers, die 1862 in der ,,Bibliothek des Litterarischen Vereins in Stuttgart'' erschien.

Der Herausgeber dankt allen Bibliotheken, die ihre wertvollen Exemplare langfristig zur Verfügung stellten. Dank gebührt ferner Herrn Dr. Marian Szyrocki für seine leider erfolglos gebliebenen persönlichen Nachforschungen nach dem Breslauer

E²ᵃ-Exemplar und Herrn Dr. Rolf Tarot in Zürich für freundliche
Unterstützung.

Vergleichendes Siglenverzeichnis

	1. rechtm. Ausg.	Nachdruck	2. rechtm. Ausg.
Bender (1967)[1]	E[1]	E[2a]	E[3]
Koschlig (1939)[2]	CG	CgB	CM
Scholte (1923)[3]	CG	CgB	CM
Borcherdt (1921)[4]	CG	CgB	CM
Bobertag[5]	O		Om
Keller (1862)[6]	O		O

---

[1] Vgl. vorliegende Einleitung.

[2] Koschlig: Grimmelshausen und seine Verleger. Leipzig 1939, S. 206 bis 219.

[3] J. H. Scholte: Einige sprachliche Erscheinungen in verschiedenen Ausgaben von Grimmelshausens Simplicissimus und Courasche. In: PBB 40 (1915), S. 263–303. Ferner: Einleitung zu seiner Ausgabe der Courasche. Halle/Saale 1923 (= Neudrucke deutscher Litteraturwerke des XVI. und XVII. Jahrhunderts Nr. 246–248).

[4] H. H. Borcherdt: Die ersten Ausgaben von Grimmelshausens Simplicissimus. Eine krit. Untersuchung. München 1921 (= Einzelschr. zur Bücher- u. Handschriftenkunde Bd. 1), S. 33f. Borcherdt gibt zwar die Siglen Scholtes nicht ausdrücklich an, seinen Ausführungen ist aber zu entnehmen, daß er mit dessen Bezeichnungen einverstanden ist. Vgl. auch Anmerkungen zur Courasche in Teil 4 seiner Ausg. S. 447f.

[5] Vgl. F. Bobertags Einleitung zu den Simplicianischen Schriften. Berlin u. Stuttgart o. J. (= Deutsche National-Litteratur Bd. 35), S. I. Bobertag folgt in der Siglierung offensichtlich A. v. Keller.

[6] A. v. Keller [Hrsg.]: Der Abenteuerliche Simplicissimus u. andere Schriften von Hans Jakob Christoph von Grimmelshausen. Stuttgart 1854–1862 (= Bibl. des Litterarischen Vereins in Stuttgart Bd. 33 u. 34, 65 u. 66), Bd. 2, S. 1127–1147, bes. S. 1142.

8,17 Haupmännin > Hauptmännin   12,8 XXVIII > XXVIII.
28,5 Neuſoll: > Neuſoll   30,6 erſchuappen > erſchnappen   48,21
Troß! > Troß   56,5 nchit > nicht   58,20 nach/ > nach   59,21 tau=
ſerd > tauſend   60,16 vrrbleiben > verbleiben   63,28 hart > hatt
67,12 ich ich > ich   77,22 Herren > Heeren   80,6 ich ich > ich
80,22 Gemüthlauffende > Gemüth lauffende   80,32 furs > fürs
89,19 Im=biß > Imbiß   93,12 Lufft Kerls > Lufft=Kerls   112,15
muſte (> muſte/   114,17 ahnangeſehen > ohnangeſehen   116,19
Naches > Nachts   118,25 erkanten; > erkanten/   120,5 zn > zu
123,32 zu zu > zu   125,11 Wittenberger > Wirtenberger   125,13
Parg > Prag   126,20 Einqnartierungen > Einquartierungen   127,30
uneer > unter   128,1 Frühlig > Frühling   136,21 Marquetennerin
> Marquetenderin   137,19 nnd > und   138,3 nnd > und   138,4
vder > oder   139,5 nnter > unter   141,21 ſſchickte > ſchickte   141,27
ſv > ſo   146,17 Zigennerin > Zigeunerin   148,8 Frantzäſiſench
> Frantzöſiſchen

Verzeichnis der aufgelösten Abkürzungen

8,20 Mañ > Mann (desgl. 58,6; 111,26; 122,21; 136,24)   11,9
Hauptmañ > Hauptmann   13,9 dē > dem   13,10 dañ > dann
(desgl. 18,21; 34,14; 43,14; 52,25; 62,24; 74,23; 87,32; 99,6;
104,17; 113,10; 133,2)   16,20 uñ > und (desgl. 18,24; 22,23;
24,14; 26,7; 32,31; 34,25; 39,31; 45,5; 48,12; 52,31; 53,3; 53,14;
59,8; 59,28; 63,6; 70,9; 71,3; 77,18; 78,29; 87,27; 88,28; 98,15;
99,30; 148,2)   17,10 wordē > worden   17,28 koñte > konnte
(desgl. 19,6; 26,12; 34,32; 117,32)   18,17 Mañs > Manns   30,8
vō > von   31,32 gegōnt > gegönnt   32,4 Immenfaß > Immenfaß
41,6 freundlichē > freundlichem   42,27 dē > den   46,16 ebē > eben
47,25 leidē > leiden   49,25 haſſetē > haſſeten   52,28 Gewiñgen >
Gewinngen   52,29 habē > haben (desgl. 131,10)   52,30 Haubt=
ſuma > Haubtſumma   53,5 alldortē > alldorten   53,5 anſtehē >
anſtehen   56,6 koṁt > kommt   56,30 wañ > wann (desgl. 58,18;
59,29; 63,17; 74,28; 82,23; 86,5; 86,34; 90,15)   58,22 Deñemarck
> Dennemarck   59,4 ſaṁt > ſammt   59,30 hättē > hätten (desgl.
63,10; 69,25)   61,14 Trouppē > Trouppen   61,26 bekoṁen > be=

kommen (desgl. 64,21; 87,17) 63,13 woltē > wolten 64,26 Jam̄er > Jammer 67,7 ankom̄t > ankommt 70,21 dañen > dannen 71,2 gespañet > gespannet 71,21 überſchwäm̄te > überſchwämmte 72,17 Camerathen > Cammerathen 72,25 nachzuhängē > nachzuhängen 72,29 allermeiſtē > allermeiſten 74,10 Soñenklar > Sonnenklar 74,14 erhaltē > erhalten 77,7 angenom̄ene > angenommene 77,12 unbeſonnenē > unbeſonnenen 77,29 zuzumuthē > zuzumuthen 78,6 abkom̄en > abkommen 81,17 añehmē > annehmen 82,2 ausgebē > ausgeben 85,3 erſtē > erſten 89,17 derowegē > derowegen 92,3 Lam̄ > Lamm 94,16 werdē > werden 96,31 Kauffmañ > Kauffmann 98,6 genañte > genannte 98,10 einē > einem 99,24 Koſtfrauē > Koſtfrauen 99,24 angenom̄enen angenommenen 99,33 entflohē > entflohen 100,2 dariñ > darinn (desgl. 112,32) 100,2 wohnē > wohnen 108,22 Gewiñ > Gewinn 109,4 wahrgenom̄en > wahrgenommen 109,28 zuſam̄en > zuſammen 113,21 einē > einen (desgl. 148,1) 121,9 Ducatē > Ducaten 131,1 beygelegtē > beygelegten 134,13 alsdañ > alsdann 134,14 uñütze > unnütze 135,13 nim̄t > nimmt 135,16 Siñ > Sinn 136,9 Mañes > Mannes 137,20 Zimmermañs > Zimmermanns

Literaturverzeichnis

Seiner Einleitung zur Ausgabe des „Simplicissimus" (Tübingen: Niemeyer 1967) fügte Rolf Tarot eine ausführliche Bibliographie bei. Wir
beschränken uns deshalb an dieser Stelle auf eine knappe Übersicht,
wobei der Schwerpunkt auf Darstellungen historisch-philologischen
Charakters liegt. Der erste Teil verzeichnet Neudrucke des vorliegenden Textes. Ausgaben, die keinerlei Anspruch auf textkritische Bedeutung erheben können – etwa die von W. Widmer 1950 oder von
Engelbert Hegaur (d. i. Engelbert Oeftering) 1962 –, werden nicht
aufgeführt.

Neudrucke

Der Abenteuerliche Simplicissimus und andere Schriften von Hans
Jakob Christoph von Grimmelshausen. Hrsg. von Adelbert v. Keller.
4 Bde. Stuttgart 1854–1862 (= Bibliothek des Litterarischen Vereins
in Stuttgart Bd. 33 u. 34, 65 u. 66). In Bd. 3: Trutzsimplex oder ausführliche und wunderseltzame Lebensbeschreibung der Ertzbetrügerin und Landstörtzerin Courasche.

Hans Jacob Christoffels von Grimmelshausen Simplicianische Schriften. Hrsg. und mit Erläuterungen versehen von Heinrich Kurz. Leipzig 1863–1864 (= Deutsche Bibliothek. Hrsg. von Heinrich Kurz).
Bd. 3: Trutz Simplex-Courasche.

Hans Jacob Christoph von Grimmelshausen: Simplicianische Schriften. Hrsg. von Julius Tittmann. 2 Bde. Leipzig 1877 (= Deutsche
Dichter des siebzehnten Jahrhunderts Bd. 10 u. 11). In Bd. 1 (Simplicianische Schriften 1. Teil): Trutz Simplex-Courasche.

Grimmelshausens Werke. Hrsg. von Felix Bobertag. 3 Bde. Berlin u.
Stuttgart o. J. (= Deutsche National-Litteratur Bd. 33–35). In Bd. 3:
(Simplicianische Schriften): Trutz Simplex-Courasche.

Grimmelshausens Werke in vier Teilen. Hrsg., mit Einleitung und An-
merkungen versehen von Hans Heinrich Borcherdt. Berlin o. J.[1922]
(= Bongs goldene Klassiker-Bibliothek). In Teil 3 (Simplicianische
Schriften): Trutz Simplex-Courasche.

Grimmelshausens Courasche. Abdruck der ältesten Originalausgabe
(1670) mit den Lesarten der beiden anderen zu Lebzeiten des Verfas-

sers erschienenen Drucke. Hrsg. von J. H. Scholte. Halle/Saale 1923.
(= Neudrucke deutscher Litteraturwerke des XVI. und XVII. Jahrhunderts Nr. 246–248).

Grimmelshausen: Simplicianische Schriften. Nach dem Text der Erstdrucke hrsg. und mit einem Nachwort versehen von Alfred Kelletat. München 1958.

Grimmelshausens Werke in vier Bänden. Ausgewählt u. eingeleitet von Siegfried Streller. Berlin u. Weimar 1964. Bd. 3: Trutz Simplex-Courasche.

Literatur

ALEWYN, RICHARD: Grimmelshausen-Probleme. In: Zs. f. Deutschkunde 44 (1930), S. 89–102.

ALKER, ERNST: Von neuer Grimmelshausen-Forschung. In: GRM 29 (1941), S. 39–47.

BECHTOLD, ARTUR: Johann Jakob Christoph von Grimmelshausen und seine Zeit. Heidelberg 1914. 2. Aufl. 1919.

BECHTOLD, ARTUR: Grimmelshausens Schriften in den Meßkatalogen 1660–1675. In: Euphorion 23 (1921), S. 496–499.

BECHTOLD, ARTUR: Vom Drucker des Simplizissimus. In: Die Bücherstube 4 (1925), S. 65–101.

BECK, WERNER: Die Anfänge des deutschen Schelmenromans. Studien zur frühbarocken Erzählung. Zürich, Phil. Diss. 1957.

BORCHERDT, HANS HEINRICH: Die ersten Ausgaben von Grimmelshausens Simplicissimus. Eine kritische Untersuchung. München 1921 (= Einzelschriften zur Bücher- und Handschriftenkunde Bd. 1).

BRIE, RENATE: Die sozialen Ideen Grimmelhausens, besonders über die Bauern, die armen Leute und die Soldaten. Berlin 1938 (= Germanische Studien H. 205).

HACHGENEI, WILHELM JOSEPH: Der Zusammenhang der „Simplicianischen Schriften" des Hans Jakob Christoffel von Grimmelshausen. Die Lebensbeschreibungen des Simplicius Simplicissimus, der Courage, des Springinsfeld und der Geschichten des wunderbarlichen Vogelnests eins und zwei. Heidelberg, Phil. Diss. 1959 [Masch.].

HAYENS, KENNETH C.: Grimmelshausen. London u. New York 1932. (= St. Andrews University Publications Vol. XXXIV).

HAYENS, KENNETH C.: H. J. Chr. v. Grimmelshausens minor works. In: Journal of Engl. and Germanic Philology 30 (1931), S. 516–530.

HERBST, GISELA: Die Entwicklung des Grimmelshausenbildes in der wissenschaftlichen Literatur. Bonn 1956 (= Bonner Arbeiten zur deutschen Literatur Bd. 2).

KÖNNECKE, GUSTAV: Quellen und Forschungen zur Lebensgeschichte Grimmelshausens. Hrsg. im Auftrage der Gesellschaft der Bibliophilen von J. H. Scholte. 2 Bde. Weimar 1926 u. 1928.

KOSCHLIG, MANFRED: Grimmelshausen und seine Verleger. Untersuchungen über die Chronologie seiner Schriften und den Echtheitscharakter der frühen Ausgaben. Leipzig 1939 (= Palaestra 218).

KOSCHLIG, MANFRED: „Edler Herr von Grimmelshausen". Neue Funde zur Selbstdeutung des Dichters. In: Jahrbuch d. Dt. Schillergesellschaft 4 (1960), S. 198–224.

KOSCHLIG, MANFRED: Der Mythos vom „Bauernpoeten" Grimmelshausen. In: Jahrbuch d. Dt. Schillergesellschaft 9 (1965), S. 33 bis 105.

RAUSSE, HUBERT: Zur Geschichte des spanischen Schelmenromans in Deutschland. Münster i. W. 1908 (= Münstersche Beiträge zur neueren Literaturgeschichte H. 8).

RISTOW, BRIGITTE: Grimmelshausen-Studien. Berlin (Freie Univ.), Phil. Diss. 1953 [Masch.].

SALDITT, BARBARA: Das Werden des Grimmelshausenbildes im 19. und 20. Jahrhundert. Chicago/Ill., Phil. Diss. 1933.

SCHOLTE, JAN HENDRIK: Probleme der Grimmelshausenforschung I. Groningen 1912. [Mehr nicht erschienen].

SCHOLTE, JAN HENDRIK: Einige sprachliche Erscheinungen in verschiedenen Ausgaben von Grimmelshausens Simplicissimus und Courasche. In: PBB 40 (1915), S. 268–303.

SCHOLTE, JAN HENDRIK: Die sprachliche Überarbeitung der Simplicianischen Schriften Grimmelshausens. In: Zs. f. Bücherfreunde N. F. 12 (1920), S. 1–21.

SCHOLTE, JAN HENDRIK: Der Simplicissimus und sein Dichter. Gesammelte Aufsätze. Tübingen 1950.

SCHRUMPF, JÜRGEN: Der Erzähler in den Simplicianischen Schriften. Göttingen, Phil. Diss. 1956 [Masch.].

SOMMER, HERMA: Die Geschichte der Grimmelshausenforschung. Prag, Phil. Diss. 1943.

SPETER, MAX: Grimmelshausens Schriften in den Meßkatalogen 1660–1675. In: Euphorion 26 (1925), S. 278.

SPETER, MAX: Die Nachdrucksfrage von Grimmelshausens Simplicissimus und Courage. In: Zs. f. Bücherfreunde N. F. 17 (1925), S. 37–42.

SPETER, MAX: Unerkannt-Unbekanntes von Grimmelshausens „Simplicissimus", „Courage" und „Springinsfeld". In: Philobiblon 8 (1935), S. 425–432.

STRELLER, SIEGFRIED: Grimmelshausens Simplicianische Schriften.

Allegorie, Zahl und Wirklichkeitsdarstellung. Berlin 1957 (= Neue
Beiträge zur Literaturwissenschaft 1957, Bd. 7).

STRELLER, SIEGFRIED: Zahlenkomposition in den Simplicianischen
Schriften Grimmelshausens und ihre Bedeutung. In: Weimarer
Beiträge 3 (1957), S. 185–200.

WELZIG, WERNER: Beispielhafte Figuren. Tor, Abenteurer und Ein-
siedler bei Grimmelshausen. Graz u. Köln 1963.

WELZIG, WERNER: Ordo und verkehrte Welt bei Grimmelshausen. In:
ZfdPh. 78 (1959) S. 424–430 und 79 (1960), S. 133–141.

WEYDT, GÜNTHER: Zur Entstehung barocker Erzählkunst bei Hars-
dörffer und Grimmelshausen. In: Wirkendes Wort, 1. Sonderh.
(1952) S. 61–72.

ZUCKERMANN, RUTH F.: Probleme der Grimmelshausen-Forschung.
New York, Phil. Diss. 1952.

Das I. Capitel.

Gründlicher und nohtwendiger
Vorbericht / wem zu Liebe und Gefal-
len / und aus was dringenden Ursachen die alte
Ertzbetrügerin / Landstürtzerin und Zigeunerin
Courage ihren wundernswürdigen und
recht seltzamen Lebens-Lauff erzehlet/
und der gantzen Welt vor die
Augen stellet.

JA! (werdet ihr sagen/ ihr Herren!) wer solte wol gemeint ha-
ben/ daß sich die alte Schell einmal unterstehen würde deß künfftigen Zorn Gottes zu entrinnen? Aber
was wolt darvor seyn/ sie muß wol! daß
das Gumpen ihrer Jugend hat sich geendigt! ihr Muhtwill und Vorwitz hat
sich gelegt/ ihr beschwertes und geängstigtes Gewissen ist aufgewacht/und das
verdrossene Alter hat sich bey ihr einge-
stellt/ welches ihre vorige überhäuffte
Thorheiten länger zu treiben sich schä-
met/ und die begangene Stück länger
im Hertzen verschlossen zu tragen ein
Eckel und Abscheu hat ; Das alte Ra-
A vj   ben-

Abb. 1. Textseite aus der Ausgabe E[1]
(Vgl. S. 13)

Trutz Simplex:

Oder

Außführliche und wunderseltzame

Lebens-Beschreibung

Der Ertzbetrügerin und Landstürtzerin

COURAGE/

Wie sie Anfangs eine Rittmeisterin/hernach eine Hauptmännin/ferner eine Leutenantin/bald eine Marcketenterin / Mußquetirerin/und letzlich eine Ziegeunerin abgegeben/ Meisterlich agiret/und außbündig vorgestellet.

Eben so lustig/ annemlich und nutzlich zu betrachten/als Simplicissimus selbst.

Alles mit einander

Von der Courage eignen Person dem weit und breit bekandten Simplicissimo zum Verdruß und Widerwillen/dem Autori in die Feder dictirt,der sich vor dißmahl nennet.

PHILARCHUS GROSSUS von Trommenheim/auf Griffsberg/2c.

⚕

Gedruckt in Utopia / bey Felix Stratiot.

Abb. 2. Titelblatt der Ausgabe E²ᵃ

Trutz Simplex:

Oder

Ausführliche und wunderseltzame

Lebens-Beschreibung

Der Ertzbetrügerin und Landstörtzerin

Courasche /

Wie sie anfangs eine Rittmei-
sterin/ hernach eine Hauptmännin/ ferner
eine Leutenantin/ bald eine Marcketente-
rin/Mußquetirerin / und letzlich eine
Ziegeunerin abgegeben/ Meisterlich agiret/und ausbündig
vorgestellet:

Eben so lustig/annemlich uñ nutzlich zu betrachten/ als Simplicissimus selbst.

Alles miteinander

Von der Courasche eigner Person dem weit und breitbekanten Simplicissimo zum Verdruß und Widerwillen/dem
Autori in die Feder dictirt, der sich vor
dißmal nennet.

PHILARCHUS GROSSUS von Trom-
menheim/ auf Griffsberg/ ꝛc.

Gedruckt in Utopia / bei Felix Stratiot.

Abb. 3. Titelblatt der Ausgabe E³

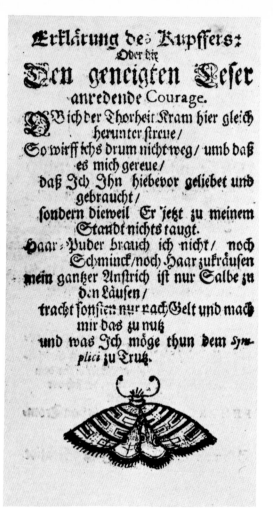

Abb. 4. Erklärung des Kupffers aus der Ausgabe E³
(Vgl. S. 6)

TEXT

Die Ertzbetrügerin

Trutz Simplex:

Oder
Ausführliche und wunderseltzame
Lebensbeschreibung
Der Ertzbetrügerin und Landstörtzerin
Courasche /

Wie sie anfangs eine Rittmeisterin/hernach eine Hauptmännin / ferner eine Leutenantin/bald eine Marcketentesrin/Mußquetirerin / und letzlich eine Ziegeunerin abgegeben/Meisterlich agiret/und ausbündig vorgestellet:

Eben so lustig/annemlich un nützlich zu betrachten/als Simplicissimus selbst.

Alles miteinander

Von der Courasche eigner Person dem weit und breitbekanten Simplicissimo zum Verdruß und Widerwillen/ dem Autori in die Feder dictirt / der sich vor dißmal nennet

PHILARCHUS GROSSUS von Trommenheim/auf Griffsberg/ꝛc.

—◦→✳←◦—

Gedruckt in Utopia / bei Felix Stratiot.

Erklärung des Kupffers:
Oder die
Den geneigten Leser
anredende Courage.

5 OB ich der Thorheit Kram hier gleich
herunter streue/
So wirff ichs drum nicht weg/ umb daß
es mich gereue/
daß Ich Jhn hiebevor geliebet und
10 gebraucht/
sondern dieweil Er jetzt zu meinem
Standt nichts taugt.
Haar=Puder brauch ich nicht/ noch
Schminck/ noch Haar zukräusen
15 mein gantzer Anstrich ist nur Salbe zu
den Läusen/
tracht sonsten nur nach Gelt und mach
mir das zu nutz
und was Ich möge thun dem Sym-
20 plici zu Trutz.

1 Kupffer=Tituls E²ᵃ   2 Oder *fehlt* E²ᵃ   5 OB ~ gleich] OB=
gleich der Thorheit Kram ich hier E²ᵃ   7 werff E²ᵃ   11 sondern]
vielmehr E²ᵃ   14 Schmincke E²ᵃ   zu *fehlt* E²ᵃ   17 tracht sonsten]
ich trachte E²ᵃ   mache mirs E²ᵃ

Kurtzer
doch ausführlicher Innhalt
und
Auszug
Der Merckwürdigsten Sachen   5
eines jeden Capitels
Dieser Lust und Lehrreichen
Lebensbeschreibung der Ertz-
landstörtzerin und Zigeu-
nerin   10
Courage.

Das I. Capitel.

Gründlicher und Nohtwendiger Vorbericht/ weme zu Liebe
und Gefallen/ und aus was dringenden Ursachen die alte Ertz-
betrügerin/ Landstörtzerin und Zigeunerin Courage ihren wunderns-   15
würdigen und rechtseltzamen Lebenslauf erzehlet/ und der gantzen
Welt vor die Augen stellet.

Das II. Cap.

Jungfrau Lebuschka (hernachmals genannte Courage) kommt
in den Krieg/ und nennet sich Janco, muß in demselben eine   20
Zeitlang einen Cammerdiener abgeben; dabey vermeldet wird/
wie sie sich verhalten/ und was sich verwunderliches ferner mit
ihr zugetragen.

Das III. Cap.

Janco vertauschet sein Edles Jungferkräntzlein bey einem   25
resoluten Rittmeister um den Nahmen Courasche.

---

2 Einhalt E²ᵃ 8 Ertz=Landstürtzerin E²ᵃ 13 wem E²ᵃ Lieb E²ᵃ
15 Landstürtzerin E²ᵃ wunderwürdigen E²ᵃ 26 Courage E²ᵃ

Das IV. Cap.

Courage wird darum eine Ehefrau und Rittmeisterin/ weil
sie gleich darauf wieder zu einer Wittwe werden muste/ nach dem
sie vorhero den Ehestand eine weile lediger Weise getrieben hatte.

Das V. Cap.

Was die Rittmeisterin Courage in ihrem Wittwenstand vor
ein erbares und züchtiges: wie auch verruchtes Gottloses Leben
geführet; wie sie einem Grafen zu willen wird/ einen Ambassador
um seine Pistolen bringet/ und sich andern mehr um reiche Beute
zu erschnappen willig unterwirft.

Das VI. Cap.

Courage kommt durch wunderliche Schickung in die zweyte
Ehe/ und freyete einen Hauptmann/ mit dem sie treflich glückselig und vergnügt lebte.

Das VII. Cap.

Courage schreitet zur dritten Ehe/ und wird aus einer
Hauptmännin eine Leutenantin/ trifts aber nicht so wol als vor-
hero/ schlägt sich mit ihren Leutenant um die Hosen mit Prügeln/
und gewinnet solche durch ihre tapfere [5] resolution und Courage;
darauff sich ihr Mann unsichtbar macht/ und sie sitzen lässt.

Das VIII. Cap.

Courage hält sich in einer Occasion trefflich frisch/ haut
einem Soldaten den Kopff ab/ bekommt einen Major gefangen/
und erfährt daß ihr Leutenant als ein Meineydiger-Uberlauffer
gefangen und gehencket worden.

Das IX. Cap.

Courage quittirt den Krieg/ nachdem ihr kein Stern mehr
leuchten will/ und sie fast von jederman vor einen Spott gehalten wird.

Das X. Cap.

Courage erfähret nach langem Verlangen/ Wünschen und
Begehren wer ihre Eltern gewesen/ und freyet darauff wiederumb
einen Hauptmann.

---

12 zweyte] andre E2a   13 freyte E2a   18 schläget E2a   ihrem E2a
19 tapfre E2a   20 machet E2a   lässet E2a   25 gehencket] gehangen
E2a

8

Das XI. Cap.

Die Neue Hauptmännin Courage ziehet wieder in den
Krieg/ und bekam einen Rittmeister/ Quartiermeister und gemeinen Reuter durch ihre Heldenmäſſige Tapfferkeit in einen
blutigen Gefecht gefangen. Verleurt darauff ihren Mann und
wird eine unglückſelige Wittbe.

Das XII. Cap.

Der Courage wird ihre treffliche Courage auch wieder
trefflich von dem ehedeſſen von ihr gefangnen Major eingetränckt/
wird jedermans Hur/ darauff nackend ausgezogen/ und muß [6]
eine gar ſchändliche Arbeit verrichten. Wird aber endlich von
einem Rittmeiſter/ den ſie auch vorhero gefangen bekommen/
erbetten/ daß ihr nicht etwas ärgers wiederfuhr; und darauff
auff ein Schloß geführt.

Das XIII. Cap.

Courage wird als ein gräfliches Fräulein auff einem Schloß
gehalten/ von dem Rittmeiſter gar offt beſucht/ und trefflich be-
dienet/ aber endlich auff Erfahrung der Eltern des liebhabenden
Rittmeiſters durch zween Diener gar liſtig aus dem Schloß nacher
Hamburg gebracht/ und daſelbſt elendiglich verlaſſen.

Das XIV. Cap.

Courage wirfft ihre Liebe auff einen jungen Reuter/ der
einen Corporal/ ſo ihme Hörner auffſetzen wolte/ alſo zeichnete/
daß er des Auffſtehens vergas. Darauf wird ihr Liebſter harque-
buſirt/ die Courage aber mit Steckenknechten vom Regiment ge-
ſchicket/ die zweyen Reutern/ ſo Gewalt an ſie legen wolten
ziemlich übel mitfuhre/ da ihr ein Musquetirer zu Hülffe kame.

Das XV. Cap.

Courage hält ſich bey einem Marcketenter auf; ein Musquetirer verliebt ſich trefflich in ſie/ dem ſie etliche gewiſſe Condi-
tiones vorſchreibet/ wie ſie den Eheſtand lediger weiſe mit ihme
treiben möchte. Wird auch darauf eine Marcketenterin.

---

3 bekam (1.) E²ª   Rittmeiſter/ (2.) E²ª   und (3.) E²ª   4 einem E²ª
6 unglückliche Witwe E²ª   10 Hure E²ª   14 geführet E²ª   17 be-
ſuchet E²ª   27 mitfuhr E²ª   kam E²ª   31 ihm E²ª

Courage nennet ihren Courtisan den Musquetirer mit dem
Nahmen Springinsfeld; dem ein Fenderich/ auf der Courage
Anstalt/ gar listig ein paar grosser Hörner auffetzet/ darzu der
5 Courage vermeinte Mutter treulich hilfft/ kurtz/ sie ziehet ihn
trefflich bey der Nasen herumb/ und schicket sich stattlich in den
Handel.

Das XVII. Cap.

Der Courage wiederfährt ein lächerlicher Posse/ den ihr
10 eine Kürschnerin auf Anstifften einer Italianischen Putanin er-
wiesen/ als sie eben bey einem vornemen Herren beym Nacht-
imbiß war; sie bezahlet aber so wol die Putanen als die Kürschnerin wieder reblich und ausbündig/ macht auch einem Apotecker
ein wunderliches Stückchen.

15 ### Das XVIII. Cap.

Die gewissenlose Courasche erkaufft von einem Musquetirer
einen Spiritum Familiarem, empfindet darbey grosses Glück/ und
gehet ihr alles nach Wunsch und Willen von statten.

Das XIX. Cap.

20 Courage richtet ihren Springinsfeld zu allerley Schelmen-
stücklein trefflich ab/ der sich bey einer vornemen Dame vor
einen Schatzgräber ausgiebt/ in den Keller gelassen wird/ darauf
etliche kostbare Kleinodien listig erpracticirt/ und bey Nacht von
Courage aus dem Keller gezogen wird.

25 [8]   ### Das XX. Cap.

Courage nebenst ihrem Springinsfeld bestiehlt zween Meyländer auf unerhörte Weise/ indeme sie dem einem/ der sehen
wolte/ was in ihrer Hütten vor ein Gepolter war/ und den
Kopff zum Guckloch aussteckte/ mit scharffem Essig in die Augen
30 sprützte/ dem andern aber den Weeg mit scharffen Dornen verlegte.

Das XXI. Cap.

Courage wird von ihrem Springinsfeld im Schlaff mit
Ohrfeigen angepacket/ und übel zugerichtet/ der aber/ nachdem
er erwachet/ sie demütig umb Gnade und Verzeihung bittet/
35 welches doch nichts helffen will.

6 Nase E²ª   10 Putanie (Hure) E²ª   11 Herrn E²ª   12 Putanie E²ª
13 machet E²ª   16 Courage E²ª   27 in dem E²ª   einen E²ª   28
Hütte E²ª

Das XXII. Cap.

Courage wird von ihrem Springinsfeld im Schlaff aus
dem Bett nur im Hembd gegen des Obristen Wachtfeuer zu-
getragen/ darüber sie erwacht/ und jämmerlich zu schreyen be-
ginnet/ daß alle Officirer zulauffen/ und des Possens lachen;   5
sie schaffet ihn darauf von sich/ und giebt ihm das beste Pferd/
nebenst 100. Ducaten und dem Spiritu Familiari.

Das XXIII. Cap.

Courage heuratet wiederumb einen Hauptmann/ wird aber
dessen/ ehe er kaum bey ihr erwarmet/ wieder beraubet. Lässet   10
sich darauf auf ihres ersten Hauptmanns Güter in Schwabenland
nieder/ und treibt ihr Huren=Hand= [9] werck wie zuvor/ doch
gar vorsichtig mit den einquartirten Soldaten.

Das XXIV. Cap.

Courage bekommt eine unflätige Kranckheit/ reiset darauf   15
in den Sauerbronnen/ und macht mit Simplicio Kundschafft;
als er sie betreugt/ betreugt sie ihn redlich wieder/ und lässt
ihm ihrer Magd neugebornes Kind vor seine Thür legen/ nebenst
Schrifftlichem Bericht/ als ob es Courage mit ihm erzeugt hätte.

Das XXV. Cap.   20

Courage treibet mit einem alten Susannen=Mann in ihrem
Garten ungebührliche Händel/ als eben zween Musquetierer auf
einem Baum Birnen mauseten/ und der eine aus Unvorsichtigkeit
die geraubten Birnen alle fallen ließ. Darüber die Courage mit
ihrem alten Liebhaber vertrieben/ endlich offenbaret/ und der   25
Stadt verwiesen wird.

Das XXVI. Cap.

Courage wird eine Musquetiererin/ schachert darbey mit
Taback und Brandtewein. Ihr Mann wird verschicket/ welcher
unterweegs einen toden Soldaten antrifft/ den er ausziehet/ und   30
weil die Hosen nicht herunter wolten/ ihm die Schenckel abhaut/
alles zusammen packet/ und bey einem Bauren einkehrt/ die
Schenckel zu Nachts hinterlässet/ und Reißaus nimmt. Darauf
sich ein recht lächerlicher Poß zuträgt.

---

3 Bette E²ᵃ   4 erwachet E²ᵃ   6 giebet E²ᵃ   10 eh E²ᵃ   12 treibet
E²ᵃ   13 einquartirten E²ᵃ   16 Sauerbrunn E²ᵃ   machet E²ᵃ   23
Birn E²ᵃ   31 abhauet E²ᵃ   32 Baur E²ᵃ   34 Posse zuträget E²ᵃ

11

Nachdem der Courage Mann in einem Treffen geblieben/
und Courage selbst auf ihrem Maulesel entrunnen/ trifft sie eine
Ziegeuner-Schaar an/ unter welchen der Leutenant sie zum Weib
5   nimmt/ sie sagt einem verliebten Fräulein Waar/ entwendet ihr
darüber alle Kleinodien/ behält sie aber nicht lang/ sondern muß
solche wol abgeprügelt wieder zustellen.

Das XXVIII. Cap.

Courasche kommt mit ihrer Compagnie in ein Dorff/ dar-
10 innen Kirchweyh gehalten wird/ reitzet einen jungen Ziegeuner
an/ eine Henne tod zu schiessen; ihr Mann stellet sich solchen
aufhencken zu lassen/ wie nun jederman im Dorff hinaus lief
diesem Schauspiel zuzusehen/ stahlen die Ziegeunerinnen alles
Gebratens und Gebackens/ und machen sich samt ihrer gantzen
15 Zunfft eiligst und listig darvon.

---

6 nit E²ᵃ   9 Courage E²ᵃ   darin Kirchweyhe E²ᵃ   12 aufhengen
E²ᵃ   15 davon E²ᵃ

Gründlicher und nohtwendiger Vorbericht/ weme zu Liebe
und Gefallen/ und aus was dringenden Ursachen die alte
Ertzbetrügerin/ Landstürtzerin und Zigeunerin Courage
ihren wundernswürdigen und recht seltzamen Lebens=Lauff   5
    erzehlet/ und der gantzen Welt vor die Augen stellet.

JA! (werdet ihr sagen/ ihr Herren!) wer solte wol
    gemeint haben/ daß sich die alte Schell einmal unter=
stehen würde dem künfftigen Zorn Gottes zu entrinnen?
Aber was wolt darvor seyn/ sie muß wol! dann das   10
Gumpen ihrer Jugend hat sich geendigt! ihr Muhtwill und
Vorwitz hat sich gelegt/ ihr beschwertes und geängstigtes
Gewissen ist aufgewacht/ und das verdrossene Alter hat
sich bey ihr eingestellt/ welches ihre vorige überhäuffte
Thorheiten länger zu treiben sich schämet/ und die be=   15
gangene Stück länger im Hertzen verschlossen zu tragen
ein Eckel und Abscheu hat; Das alte Ra= [12] benaaß
fähet einmal an zu sehen und zu fühlen/ daß der gewisse
Tod nächstens bey ihr anklopffen werde/ ihr den letzten
Abdruck abzunöhtigen/ vermittelst dessen sie unumbgänglich   20
in ein andere Welt verreisen/ und von allem ihrem hiesigen
Thun und Lassen genaue Rechenschafft geben muß; darumb
beginnet sie im Angesicht der gantzen Welt ihren alten
Esel vom überhäuffter Last seiner Beschwerden zu entladen/
ob sie vielleicht sich umb so viel erleichtern möchte/ daß   25
sie Hoffnung schöpffen könnte noch endlich die himmlische
Barmhertzigkeit zu erlangen! Ja! (ihr liebe Herren!) das
werdet ihr sagen; Andere aber werden gedencken/ solte
sich die Courage wol einbilden dörffen/ ihre alte zusammen
gerumpelte Haut/ die sie in der Jugend mit Frantzösischer   30

---

2 wem E²ª   Lieb E²ª   7 (werdet ~ Herren!)] (werdet ihr Herren
sagen) E²ª   8 gemeinet E²ª   Schelle E²ª   10 wolte E²ª   11 Muht=
wille E²ª   12 geleget E²ª   13 auffgewachet E²ª   14 ihr] mir E³
eingestellet E²ª   16 Stücke E²ª   21 eine andre E²ª   hiesigen fehlt
E²ª   24 von E²ª   30 geschrumpelte E²ª

Grindfalb/ folgends mit allerhand Italian= und Spanifcher
Schmincke/ und endlich mit Egyptifcher Läuffalben und
vielem Gänffchmalg gefchmieret/ beym Feuer fchwarg ge=
räuchert/ und fo offt eine andere Farbe an= [13] zunehmen
5   gezwungen/ widerumb weiß zu machen? Solte fie wol
vermeinen/ fie werde die eingewurgelte Runteln ihrer
Lafterhafften Stirn austilgen/ und fie widerumb in den
glatten Stand ihrer erften Unfchuld bringen/ wann fie
dergeftalt ihre Bubenftück und begangne Lafter Berichts
10 weiß daher erzehlet von ihrem Hergen zu raumen? folte
wol diefe alte Vettel jegt/ da fie alle beyde Füffe bereits
im Grab hat/ wann fie anders würdig ift eines Grabs
theilhafftig zu werden/ diefe Alte/ (werdet ihr fagen/)
die fich ihr Lebtag in allerhand Schand und Laftern umb=
15 gewelgt/ und mit mehrern Miffethaten als Jahren/ mit
mehren Hurenftücken als Monaten/ mit mehrern Diebs=
griffen als Wochen/ mit mehrern Tod=Sünden als Tagen/
und mit mehrern gemeinen Sünden als Stunden beladen;
die/ deren/ fo alt fie auch ift/ noch niemal keine Be=
20 kehrung in Sinn kommen/ fich unterftehen mit Gott zu
verföhnen? Vermeinet fie wol anjego noch zurecht zu
kommen/ da fie [14] allbereit in ihrem Gewiffen anfähet
mehr höllifche Pein und Marter auszuftehen/ als fie ihre
Tage Wollüfte genoffen und empfunden? Ja! wann diefe
25 unnüge abgelebte Laft der Erden neben folchen Wollüften
fich nicht auch in andern allerhand Erglaftern herumb
gewälgt/ Ja gar in der Bosheit allertiefften Abgrund
begeben und verfenckt hätte/ So möchte fie noch wol ein
wenig Hoffnung zu faffen die Gnad haben können; Ja
30 ihr Herren! das werdet ihr fagen/ das werdet ihr ge=
dencken/ und alfo werdet ihr euch über mich verwundern/
wann euch die Zeitung von diefer meiner Haupt= oder
General Beicht zu Ohren kommt; und wann ich folches
erfahre/ fo werde ich meines Alters vergeffen/ und mich
35 entweder wider jung/ oder gar zu Stücken lachen!
Warumb das Courage? warumb wirft du alfo lachen?

---

1 Grindfalbe E²ᵃ   2 Läußfalbe E²ᵃ   4 andre E²ᵃ   7 Stirne E²ᵃ
9 Bubenftücke E²ᵃ   10 weife E²ᵃ   14 Schanden E²ᵃ   umgewelget
E²ᵃ   16 mehren] mehrern E²ᵃ   21 verfühnen E²ᵃ   25 Erde E²ᵃ
27 gewälget E²ᵃ   28 verfencket E²ᵃ   29 Gnade E²ᵃ   Ja ihre E²ᵃ

14

darumb/ daß ihr vermeinet/ ein altes Weib/ die des
Lebens so lange Zeit wol gewohnet/ und die ihr einbildet/
die Seele seye ihr gleichsam angewachsen/ gedencke an [15]
das Sterben/ Eine solche/ wie ihr wisset daß ich bin
und mein Lebtag gewesen/ gedencke an die Bekehrung!   5
und die jenige so ihren gantzen Lebens-Lauff/ wie mir
die Pfaffen zu sprechen/ der Höllen zugerichtet/ gedencke
nun erst an den Himmel. Ich bekenne unverholen/ daß
ich mich auf solche Hinreis/ wie mich die Pfaffen überreden wollen/ nicht rüsten/ nachdeme/ was mich ihrem   10
Vorgeben nach verhindert/ völlig zu resignirn entschliessen
können; als worzu ich ein Stück zu wenig/ hingegen aber
etlicher/ vornemblich aber zweyer zu viel habe; das/ so
mir manglet/ ist die Reu/ und was mir manglen solte/
ist der Geitz und der Neid; wann ich aber meinen Glumpen   15
Gold/ den ich mit Gefahr Leib und Lebens/ ja/ wie mir
gesagt wird/ mit Verlust der Seeligkeit zusammen ge-
raspelt/ so sehr hasse als ich meinen Neben-Menschen
neide/ und meinen Neben-Menschen so hoch liebte als
mein Geld/ so möchte vielleicht die himmlische Gabe der   20
Reue auch folgen; ich weiß [16] die Art der unterschied-
lichen Alter eines jeden Weibsbilds/ und bestättige mit
meinem Exempel/ daß alte Hund schwerlich bändig zu
machen; die Cholera hat sich mit den Jahren bey mir
vermehrt/ und ich kan die Gall nicht heraus nehmen/   25
solche wie der Metzger einen Säu-Magen umbzukehren und
auszubutzen; wie wolte ich dann dem Zorn widerstehen
mögen? wer will mir die überhäuffte Phlegmam evacuirn
und mich also von der Trägheit curiren? Wer benimmt
mir die Melancholische Feuchtigkeit/ und mit derselbigen 30
die Neigung zum Neid? Wer wird mich überreden
können/ die Ducaten zu hassen/ da ich doch aus langer
Erfahrung weiß/ das sie aus Nöhten erretten/ und der
einige Trost meines Alters seyn können/ damal/ damal/

3 sey E²ᵃ   6 mir *fehlt* E²ᵃ   7 zusprechen pflegen E²ᵃ   Hölle E²ᵃ
9 Hinreise E²ᵃ   10 rüsten noch E²ᵃ   nachdem E²ᵃ   11 zuresigniren
E²ᵃ   14 Reue E²ᵃ   15 Klumpen E²ᵃ   16 Leibes E²ᵃ   18 hassete E²ᵃ
22 Weibsbildes E²ᵃ   23 Hunde E²ᵃ   25 vermehret E²ᵃ   Galle E²ᵃ
28 Phlegma evacuiren E²ᵃ   34 damal *fehlt* E³

ihr Herrn Geiſtliche! wars Zeit/ mich auf den jenigen
Weeg zu weiſen/ den ich euern Raht nach jetzt erſt an-
tretten ſoll/ als ich noch in der Blüt meiner Jugend/ und
in dem Stand meiner Unſchuld lebte; dann ob ich gleich
[17] damals die gefährliche Zeit der kützelhafften Anfechtung
angieng/ ſo wäre mir doch leichter geweſen dem Sanguiniſchen
Antrieb/ als jetzunder der übrigen dreyen ärgſten Feuchtig-
keiten gewaltſamen Anlauff zugleich zuwiderſtehen; darumb
gehet hin zu ſolcher Jugend/ deren Hertzen noch nicht/
wie der Courage, mit andern Bildniſſen befleckt/ und
lehret/ ermahnet/ bittet/ Ja beſchweret ſie/ daß ſie es
aus Unbeſonnenheit nimmermehr ſo weit ſoll kommen
laſſen/ als die arme Courage gethan; Aber höre Courage,
wann du noch nicht im Sinn haſt dich zu bekehren/
warumb wilſt du dann deinen Lebens-Lauff Beichtsweiß
erzehlen/ und aller Welt deine Laſter offenbahrn? Das
thue ich dem Simplicissimo zu Trutz! weil ich mich anderer
Geſtalt nicht an ihm rächen kan; dann nach dem dieſer
ſchlimme Vocativus mich im Saurbrunnen geſchwängert
scilicet, und hernach durch einen ſpöttlichen Poſſen von
ſich geſchafft/ gehet er erſt hin/ und rufft meine und ſeine
eigne Schand/ ver- [18] mittelſt ſeiner ſchönen Lebens-
Beſchreibung vor aller Welt aus; aber ich will ihm jetzunder hingegen erzehlen/ mit was vor einem erbarn
Zobelgen er zu ſchaffen gehabt/ damit er wiſſe/ weſſen
er ſich gerühmt; und vielleicht wünſchet/ daß er von
unſerer Hiſtori allerdings ſtill geſchwiegen hätte; Woraus
aber die gantze erbare Welt abzunehmen/ daß gemeiniglich
Gaul als Gurr: Hurn und Buben eins Gelichters: und
keins umb ein Haar beſſer als das ander ſey; gleich und
gleich geſellt ſich gern/ ſprach der Teuffel zum Kohler/
und die Sünden und Sünder werden widerumb gemeiniglich durch Sünden und Sünder abgeſtrafft.

---

2 euerm E²ᵃ   3 Blüte E²ᵃ   4 obgleich ich E²ᵃ   10 Bildnüſſen E²ᵃ
11 es *fehlt* E²ᵃ   15 Beicht-Weiſe E²ᵃ   16 offenbaren E²ᵃ   18 Geſtalt ~ ihm] geſtalt an ihm nicht E²ᵃ   19 Saurbrun E²ᵃ   21 ge-
ſchaffet E²ᵃ   22 Schande E²ᵃ   26 gerühmet E²ᵃ   wünſche E²ᵃ
29 Huren E²ᵃ   eines E²ᵃ   31 geſellet E²ᵃ   Kohler E²ᵃ

Jungfrau Lebuschka (hernachmals genannte Courage) kommt
in den Krieg/ nennet sich Janco/ und muß in demselben
eine Zeitlang einen Cammerdiener abgeben; dabey vermeldet wird/ wie sie sich verhalten/ und was sich ver-   5
wunderliches ferner mit ihr zugetragen.

D Ie jenige/ so da wissen/ wie die Sclavonische Völcker
ihre Leibeigne Unterthanen tractirn/ dörfften wol ver-
meinen/ ich wäre von einem Böhmischen Edelmann und
eines Bauren Tochter erzeugt und geboren worden; Wissen   10
und Meinen ist aber zweyerley; ich vermeine auch viel
Dings und weiß es doch nicht; wann ich sagte/ ich hätte
gewust/ wer meine Eltern gewesen/ so würde ich lügen/
und solches wäre nicht das erste mal; dieses aber weiß
ich wol/ daß ich zu Bragoditz zärtlich genug auferzogen/   15
zur Schulen gehalten/ und mehr als ein geringe Tochter
zum Nähen/ Stricken/ Sticken und anderer dergleichen
Frauenzimmer Arbeit ange- [20] führt worden bin; das
Kostgelt kam fleissig von meinem Vatter/ ich wuste aber
drumb nicht woher/ und meine Mutter schickte manchen   20
Gruß/ mit deren ich gleichwol mein Tage kein Wort geredet; als der Bäyerfürst mit dem Bucquoy in Böhmen
zog/ den neuen König widerumb zu verjagen/ da war
ich eben ein fürwitzigs Ding von dreyzehen Jahren/
welches anfieng nachzutichten/ wo ich doch herkommen seyn   25
möchte; und solches war mein gröstes Anligen; weil ich
nicht fragen dorffte/ und von mir selbst nichts ergründen
konnte; ich wurde vor der Gemeinschafft der Leut ver-
wahrt wie ein schönes Gemähl vorm Staub; meine Cost-
frau behielte mich immer in den Augen/ und weil ich   30
mit andern Töchtern meines Alters keine Gespielschafft
machen dorffte/ sihe so vermehrten sich meine Grillen und
Dauben/ die der Fürwitz in meinem Hirn aushecket/

---

8 Leibeigene E²ᵃ   tractiren E²ᵃ   10 erzeuget E²ᵃ   12 nit E²ᵃ   16
Schule E²ᵃ   eine E²ᵃ   18 Arbeit ~ bin] Arbeit bin angeführet worden E²ᵃ   20 darum E²ᵃ   21 Tag E²ᵃ   24 fürwitziges E²ᵃ   25
nachzudichten E²ᵃ   27 nit fragen E²ᵃ   28 ward E²ᵃ   Leute verwah-
ret E²ᵃ   29 Gemählde vor dem E²ᵃ   30 behielt E²ᵃ   32 Grille E²ᵃ

auffer welchen ich mich auch mit fonst nichts bekümmerte.

[21] Als fich nun der Hertzog aus Bäyern vom Bucquoy feparirte, gieng der Bäyer vor Budweiß/ diefer aber vor Bragoditz; Budweiß ergab fich bey Zeiten/ und thät fehr weißlich/ Bragoditz aber erwartet und erfuhr den Gewalt der Käiferlichen Waffen/ welche auch mit den Halsftarrigen graufam umbgiengen; da nun meine Koftfrau fchmeckte/ wo die Sach hinaus wolte/ fagte fie zeitlich zu mir/ Jungfrau Libufchka/ wann ihr eine Jungfrau bleiben wolt/ fo müft ihr euch fcheeren laffen/ und Manns-Kleider anlegen/ wo nicht/ fo wolte ich euch keine Schnalle umb euer Ehre geben/ die mir doch fo hoch befohlen worden zu beobachten; ich dachte/ was vor frembde Reden feyn mir das? Sie aber kriegte eine Scheer/ und fchnitte mir mein goldfarbes Haar auf der rechten Seiten hinweg/ das auf der Lincken aber lieffe fie ftehen/ in aller Maß und Form/ wie es die vornembfte Manns-Perfonen damals trugen; fo/ mein Tochter! fagte fie/ wann ihr diefem [22] Strudel mit Ehren entrinnet/ fo habt ihr noch Haar genug zur Zierd/ und in einem Jahr kan euch das ander auch wider wachfen; ich lieffe mich gern tröften/ dann ich bin von Jugend auf genaturt gewefen/ am allerliebften zu fehen/ wann es am allernärrifchten hergieng; und als fie mir auch Hofen und Wambft angezogen/ lernte fie mich weitere Schritte thun/ und wie ich mich in den übrigen Geberden verhalten folte; alfo erwarteten wir der Käiferlichen Völcker Einbruch in die Stadt; meine Koft-frau zwar mit Angft und Zittern/ ich aber mit groffer Begierde/ zu fehen/ was es doch vor eine neue ungewöhn-liche Kürbe fetzen würde; folches wurde ich bald gewahr; ich will mich aber drumb nicht aufhalten mit Erzehlung/ wie die Männer in der eingenommenen Stadt von den Uber-windern gemetzelt: die Weibsbilder genohtzüchtiget/ und die Stadt felbft geplündert worden; fintemal folches in dem verwichenen langwierigen Krieg fo gemein und bekandt

---

3 separirte] abfonderte E²ᵃ 5 erwartete E²ᵃ 6 die Gewalt E²ᵃ
8 Sache E²ᵃ 10 woltet E²ᵃ müffet E²ᵃ 11 nit E²ᵃ 12 eure E²ᵃ
14 Scheere E²ᵃ 15 Seite E²ᵃ 16 ließ E²ᵃ Maffe E²ᵃ 18 meine
E²ᵃ 19 Haare E²ᵃ 21 ließ E²ᵃ 30 ward E²ᵃ 31 darum E²ᵃ
32 eingenommen E²ᵃ

worden/ [23] daß alle Welt genug darvon zu fingen und
zu fagen weiß; diß bin ich fchuldig zu melden/ wann ich
anders mein gantze Hiftori erzehlen will/ daß mich ein
Teutscher Reuter vor einen Jungen mit nahm/ bey dem
ich der Pferdte warten und forragirn: das ift/ ftehlen   5
helffen folte; ich nennete mich Janco und konnte zimlich
Teutsch lallen/ aber ich liesse michs/ aller Böhmen Brauch
nach/ drumb nicht mercken; darneben war ich zart/ schön
und Adelicher Geberden/ und wer mir solches jetzt nicht
glauben will/ dem wolte ich wünschen/ daß er mich vor   10
50. Jahren gesehen hätte/ so würde er mir deffentwegen
schon ein ander gut Zeugniß geben.

Als mich nun dieser mein erster Herr zur Compagnia
brachte/ fragte ihn sein Rittmeifter/ welches in Warheit
ein schöner junger tapfferer Caballier war/ was er mit   15
mir machen wolte? Er antwortet/ was andere Reuter
mit ihren Jungen machen; Maufen und der Pferdte
warten/ worzu die Böhmifche [24] Art/ wie ich höre/ die
beste seyn soll; man sagt vor gewiß/ wo ein Böhm Kuder
aus einem Haus trage/ da werde gewißlich kein Teutscher   20
Flachs in finden; wie aber? antwortet der Rittmeifter/
wann er diß Bömisch Handwerck an dir anfieng/ und
ritte dir zum Probstück deine Pferdt hinweg; ich will/
sagt der Reuter/ schon Achtung auf ihn geben/ biß ich
ihn aus der Küheweid bringe; die Bauren=Buben/ ant=   25
wortet der Rittmeifter/ die bey den Pferdten erzogen
worden/ geben viel beffere Reuter-Jungen als die Burgers
Söhne/ die in den Städten nicht lernen können wie einem
Pferdte zu warten; zu dem dunckt mich/ dieser Jung sey
ehrlicher Leut Kind und viel zu häckel auferzogen worden/   30
einem Reuter seine Pferd zu versehen; ich spitzte die Ohren
gewaltig/ ohne daß ich dergleichen gethan hätte/ daß ich
etwas von ihrem Discurs verstünde/ weil sie Teutsch
redeten; meine gröfte Sorg war/ ich möchte wider ab=

1 davon E²ᵃ   3 meine E²ᵃ   5 Pferde E²ᵃ   forragiren   6 nante E²ᵃ
7 ließ mich deffen E²ᵃ   8 darum E²ᵃ   16 antwortete E²ᵃ
17 Pferde E²ᵃ   19 fagte E²ᵃ   21 antwortete E²ᵃ   22 anfinge E²ᵃ
23 Pferde E²ᵃ   24 fagte E²ᵃ   25 Küheweide E²ᵃ   antwortete E²ᵃ
26 Pferden E²ᵃ.³   27 Bürgers E²ᵃ   29 Pferd E²ᵃ   30 Leute E²ᵃ
32 ohn E²ᵃ.³   34 Sorge E²ᵃ

geschafft/ und nach dem geplünderten Bragodiz zuruck gejagt wer= [25] den/ weil ich die Trommeln und Pfeiffen/ das Geschütz/ und die Trompeten/ von welchem Schall mir das Hertz im Leib aufhupffte/ noch nicht satt genug
5 gehört hatte; zu letzt schickte sich/ ich weiß nicht zu meinem Glück oder Unglück/ daß mich der Rittmeister selbst behielte/ daß ich seiner Person wie ein Page und Cammerdiener aufwarten solte; dem Reuter aber gab er einen andern Böhmischen Knollfincken zum Jungen/ weil
10 er ja einen Dieb aus unserer Nation haben wolte;

Also schickte ich mich nun gar artlich in den Possen; ich wuste meinem Rittmeister so trefflich zu Fuchsschwäntzen/ seine Kleidungen so sauber zu halten/ sein weiß leinen Zeug so nett zu accommodirn, und ihm in allem so wol
15 zu pflegen/ daß er mich vor den Kern eines guten Cammer= dieners halten muste; und weil ich auch einen grossen Lust zum Gewehr hatte/ versahe ich dasselbe dergestalten/ daß sich Herr und Knechte darauf verlassen durfften/ und dannenhero [26] erhielte ich bald von ihm/ daß er mir
20 einen Degen schenckte/ und mich mit einer Maultasche Wehrhafft machte; über das/ daß ich mich hierinn so frisch hielte/ muste sich auch jederman über mich ver= wundern/ und vor die Anzeigung eines unvergleichlichen Verstands halten/ daß ich so bald Teutsch reden lernete/
25 weil niemand wuste/ daß ichs bereits von Jugend auf lernen müssen; darneben befliße ich mich aufs höchste/ alle meine Weibliche Sitten auszumustern/ und hingegen Männliche anzunehmen; ich lernte mit Fleiß fluchen wie ein anderer Soldat/ und darneben Sauffen wie ein
30 Bürstenbinder/ soff Brüderschafft mit denen/ die ich ver= meinte das sie meines Gleichens wären/ und wann ich etwas zu beteuern hatte/ so geschahe es bey Dieb und Schelmen schelten/ damit ja niemand mercken solte/ wa= rumb ich in meiner Geburt zu kurtz kommen/ oder was
35 ich sonst nicht mitgebracht.

---

1 zurück gejaget E²ª 4 aufhüpfte E²ª 5 gehöret E²ª 7 behielt E²ª
9 wel E³ 10 unsrer E²ª 14 accomodiren E²ª 16 eine große E²ª
19 erhielt E²ª 22 hielt E²ª 24 Verstandes E²ª 28 männliche E²ª
31 gleichen E²ª

Janco vertauschet sein Edles Jungfer=Kräntzlein bey einem
resoluten Rittmeister umb den Nahmen Courasche.

MEin Rittmeister war/ wie hieroben gemeldet/ ein
schöner junger Cavallier/ ein guter Reuter/ ein   5
guter Fechter/ ein guter Däntzer/ ein Reuterischer Soldat/
und überaus sehr auf das Jagen verbicht; sonderlich mit
Windhunden die Haasen zu hetzen war sein gröster Spaß;
er hatte so viel Barts umbs Maul als ich/ und wann
er Frauenzimmer=Kleider angehabt hätte/ so hätte ihn der   10
Tausendste vor eine schöne Jungfrau gehalten; aber wo
komm ich hin? ich muß meine Histori erzehlen; als Bud=
weiß und Bragodiz über/ giengen beyde Armeen vor
Pilsen/ welches sich zwar tapffer wehrete/ aber hernach
auch mit jämmerlichem Würgen und Auffhencken seine Straff   15
empfieng; von dannen ruckten sie auf Raconitz/ allwo [28]
es die erste Stöß im Feld setzte/ die ich sahe; und da=
mals wünschte ich ein Mann zu seyn/ umb dem Krieg
meine Tage nachzuhängen; dann es gieng so lustig her/
daß mir das Hertz im Leib lachte; und solche Begierde   20
vermehrte mir die Schlacht auf dem weissen Berg bey
Prag/ weil die unsere einen grossen Sieg erhielten und
wenig Volck einbüsten; damals machte mein Rittmeister
treffliche Beuten/ ich aber liesse mich nicht wie ein Page
oder Cämmerling/ vielweniger als ein Mägdgen/ sondern   25
wie ein Soldat gebrauchen/ der an den Feind zu gehen
geschworen/ und darvon seine Besoldung hat.

Nach diesem Treffen marchirt der Hertzog aus Bäyern
in Oesterreich/ der Sächsische Churfürst in die Laußnitz/
und unser General Bucquoy in Mähren/ des Käisers   30
Rebellen widerumb in Gehorsam zu bringen; und indem
sich dieser letztere an seiner bey Raconitz empfangenen Be=
schädigung curiren liesse; sihe/ da bekam ich mitten in
derselbigen [29] Ruhe/ so wir seinethalber genossen/ eine
Wunden in mein Hertz/ welche mir meines Rittmeisters   35

---

3 Courage E²ᵃ 7 verpicht E²ᵃ 9 um sein E²ᵃ 11 Jungfer E²ᵃ
12 komme E²ᵃ 15 Auffhengen E²ᵃ Straffe E²ᵃ 17 ersten Stöße
E²ᵃ 21 vermehrete E²ᵃ 22 unseren E²ᵃ 24 ließ E²ᵃ 27 da=
von E²ᵃ 28 marchirte E²ᵃ 33 ließ E²ᵃ 35 Wunde E²ᵃ

Liebwürdigkeit hinein truckte; dann ich betrachtete nur die
jenige Qualitäten/ die ich oben von ihm erzehlet/ und
achtete gar nicht/ daß er weder Lesen noch Schreiben
konnte/ und im übrigen so ein roher Mensch war/ daß
ich bey meiner Treu schweren kan/ ich hätte ihn niemahlen
hören oder sehen beten; und wann ihn gleich der weise
König Alphonsus selbst eine schöne Bestia genannt hätte/
so wäre mein Liebes-Feur/ das ich hegte/ doch nicht
darvon verloschen/ welches ich aber heimlich zu halten
gedachte/ weil mirs meine wenig übrighabende Jungfräu-
liche Schamhafftigkeit also riehte; es geschahe aber mit
solcher Ungedult/ daß ich/ unangesehen meiner Jugend/
die noch keines Manns wehrt war/ mir offt wünschte/
der jenigen Stelle zu vertretten/ die ich und andere Leute
ihm zu Zeiten zu kuppelten; so hemmte Anfänglich auch
nicht wenig den ungestümmen und gefährli= [30] chen Aus-
bruch meiner Liebe/ daß mein Liebster von einem edlen
und Namhafften Geschlecht geboren war/ von dem ich mir
einbilden muste/ daß er keine/ die ihre Eltern nicht kennete/
ehelichen würde; und seine Matresse zu seyn/ konnte ich
mich nicht entschliessen/ weil ich täglich bey der Armee so
viel Huren sahe Preiß machen.

Ob nun gleich dieser Krieg und Streit/ den ich mit
mir selber führte/ mich greulich quälte/ so war ich doch
geil und ausgelassen darbey/ ja von einer solchen Natur/
daß mir weder mein innerlichs Anliegen noch die äuser-
liche Arbeit und Kriegs Unruhe etwas zu schaffen gab;
ich hatte zwar nichts zu thun/ als einzig meinem Rittmeister aufzuwarten; aber solches lernete mich die Liebe
mit solchem Fleiß und Eifer verrichten/ daß mein Herr
tausend Eid vor einen geschworen hätte/ es lebte kein
treuerer Diener auf dem Erdboden; in allen occasionen,
sie wären auch so scharff gewesen/ als sie immer wolten/
kame ich ihme niemah= [31] len vom Rucken oder der

---

1 druckte E²ᵃ   betrachte E²ᵃ   6 ihn *fehlt* E²ᵃ   7 selbst ihn E²ᵃ   ge-
nent E²ᵃ   8 Liebsfeur E²ᵃ   9 davon E²ᵃ   11 rieht E²ᵃ   13 Mannes E²ᵃ   15 hemmete E²ᵃ   16 nit E²ᵃ   19 kante E²ᵃ   23 Obgleich nun E²ᵃ   24 führete E²ᵃ   quälete E²ᵃ   26 innerliches E²ᵃ
31 lebe E²ᵃ   34 kam E²ᵃ   ihm E²ᵃ   von dem Rücken oder von E²ᵃ

22

Seiten / wiewol ichs gar nicht zu thun schuldig war / und
über das war ich allzeit willig / wo ich nur etwas zu
thun wuste / das ihm gefiele; so hätte er auch gar wol
aus meinem Angesicht lesen können / wann ihn nur meine
Kleider nicht betrogen / daß ich ihn weit mit einer anderen   5
als eines gemeinen Dieners Andacht geehrt und angebetet;
Indessen wuchse mir mein Busen je länger je grösser /
und druckte mich der Schu je länger je hefftiger / dergestalt / daß ich weder von aussen meine Brüste : noch den
innerlichen Brand im Hertzen länger zu verbergen getraute.   10
    Als wir Iglau bestürmet / Trebitz bezwungen / Znaim
zum Accord gebracht / Brün und Olmütz unter das Joch
geworffen / und meisten theils alle andere Städte zum
Gehorsam getrieben / seynd mir gute Beuten zugestanden /
welche mir mein Rittmeister / meiner getreuen Dienste   15
wegen / alle schenckte; wormit ich mich trefflich mundirte /
und selbst zum allerbesten beritten machte / meinen [32]
eignen Beutel spickte / und zu Zeiten bey dem Marquedentern mit den Kerln ein Maas Wein tranck; einsmals
machte ich mich mit etlichen lustig / die mir aus Neid   20
empfindliche Wort gaben / und sonderlich war ein feind-
seliger darunter / der die Böhmische Nation gar zu sehr
schmähete und verachtete; der Narr hielte mir vor / daß
die Böhmen ein faulen Hund voller Maden vor ein
stinckenden Käß gefressen hätten / und foppte mich aller-   25
dings / als wann ich Persönlich darbey gewesen wäre /
derowegen kamen wir beyderseits zu Scheltworten / von
den Worten zu Nasenstübern / und von den Stössen zum
Rupffen und Ringen / unter welcher Arbeit mir mein
Gegentheil mit der Hand in Schlitz wischte / mich bey   30
dem jenigen Geschirr zu erdappen / das ich doch nicht
hatte / welcher zwar vergebliche / doch Mörderische Griff
mich viel mehr verdrosse / als wann er nicht leer abgangen
wäre / und eben darumb wurde ich desto verbitterter / ja
gleichsam halber unsinnig / also / daß ich [33] aller meiner   35

---

1 ichs ~ schuldig] ichs zuthun gar nicht schuldig E²ᵃ   2 allezeit E²ᵃ
6 geehret E²ᵃ   7 wuchs E²ᵃ   8 Schuch E²ᵃ   19 dem E³   einsmahl
E²ᵃ   21 Worte E²ᵃ   23 hielt E²ᵃ   24 Böhmen einen E²ᵃ   vor
einen E²ᵃ   27 deßwegen E²ᵃ   31 dem] den E³   32 vergeblicher E²ᵃ
mörderischer E²ᵃ   33 verdroß E²ᵃ   34 ward E²ᵃ

Stärck und Geschwindigkeit zusammen gebotte/ und mich
mit Kratzen/ Beissen/ Schlagen und Tretten dergestalt
wehrete/ daß ich meinen Feind hinunter brachte/ und ihn
im Angesicht also zurichtete/ daß er mehr einer Teuffels-
5 Larven als einem Menschen gleich sahe/ ich hätte ihn auch
gar erwürgt/ wann die andere Gesellschafft nicht von
ihm gerissen/ und Fried gemacht hätte; ich kam mit einem
blauen Aug darvon/ und konnte mir wol einbilden/ daß
der schlimme Kund gewahr worden/ was Geschlechts ich
10 gewesen/ und ich glaub auch/ daß ers offenbahrt hätte/
wann er nicht gefürchtet/ daß er entweder mehr Stösse
bekommen/ oder zu denen die er allbereit empfangen/
ausgelacht worden wäre/ umb daß er sich von einem
Mägdgen schlagen lassen; und weil ich sorgte/ er möchte
15 noch endlich schnellen/ sihe so drehete ich mich aus.

Mein Rittmeister war nicht zu Haus/ als ich in unser
Quartier kam/ sondern bey einer Gesellschafft anderer
Officier/ [34] mit denen er sich lustig machte/ allwo er
auch erfuhr was ich vor eine Schlacht gehalten/ ehe ich
20 zu ihm kam; er liebte mich als ein resolutes junges
Bürschel/ und eben darumb war mein Filtz desto geringer/
doch unterliesse er nicht mir dessentwegen einen Verweiß
zu geben; als aber die Predigt am allerbesten war/ und
er mich fragte/ warumb ich meinen Gegentheil so gar ab-
25 scheulich zugerichtet hätte/ antwortet ich/ darumb/ daß er
mir nach der Courage gegriffen hat/ wohin sonst noch
keines Manns-Menschen Hände kommen seyn/ (dann ich
wolte es verzwicken/ und nicht so grob nennen/ wie die
Schwaben ihre zusammen gelegte Messer/ welche man/ wann
30 ich Meister wäre/ auch nicht mehr so unhöfflich/ sondern
unzüchtige Messer heissen müste/) und weil meine Jungfrauschafft ohne das sich in letzten Zügen befand/ zumalen
ich wagen muste/ mein Gegentheil würde mich doch ver-
rathen/ sihe/ so entblöste ich meinen schneeweissen Busen/
35 und zeigte dem Rittmeister [35] meine anziehende harte

1 Stärcke E²ª   gebot E²ª   4 Teuffels=Larve E²ª   6 erwürget E²ª
7 Friede gemachet E²ª   8 davon E²ª   10 glaube E²ª   offenbahret
E²ª   11 geförchtet E²ª   18 Officier E²ª   19 eh E²ª   21 Bürschgen
E²ª   22 unterließ E²ª   25 antwortete E²ª   32 ohn E²ª   35 anziehende liebreitzende E²ª

24

Brüſte; ſehet/ Herr! ſagte ich/ hie ſehet ihr eine Jung-
frau/ welche ſich zu Bragodiz verkleidet hat/ ihre Ehr vor
den Soldaten zu erretten/ und demnach ſie Gott und das
Glück in euere Hände verfügt/ ſo bittet ſie/ und hofft/
ihr werdet ſie auch als ein ehrlicher Cavallier bey ſolcher   5
ihrer hergebrachten Ehr beſchützen; und als ich ſolches
vorgebracht hatte/ fieng ich ſo erbärmlich an zu weinen/
daß einer drauff geſtorben wäre/ es ſey mein gründlicher
Ernſt geweſen.

    Der Rittmeiſter erſtaunete zwar vor Verwunderung/   10
und muſte doch lachen/ daß ich mit einen neuen Nahmen
viel Farben beſchrieben hatte/ die mein Schild und Helm
führte; er tröſtete mich gar freundlich/ und verſprach mit
gelehrten Worten meine Ehre wie ſein eigen Leben zu
beſchützen/ mit den Wercken aber bezeugte er alſobalden/   15
daß er der Erſte wäre/ der meinem Kräntzlein nachſtellte/
und ſein unzüchtig Gegrabel gefiele mir auch viel beſſer
als ſein ehr= [36] lichs Verſprechen; doch wehrete ich mich
Ritterlich; nicht zwar/ ihme zu entgehen/ oder ſeinen Begierden zu entrinnen/ ſondern ihn recht zu hetzen und   20
noch begieriger zu machen; allermaſſen mir der Poß ſo
artlich angieng/ daß ich nichts geſchehen lieſſe/ bis er mir
zuvor bey Teuffelholen verſprach mich zu ehelichen/ un-
angeſehen/ ich mir wol einbilden konnte/ er würde ſolches
ſo wenig im Sinn haben zu halten/ als den Hals ab-   25
zufallen. Und nun ſchaue/ du guter Simplex! du dörffteſt
dir hiebevor im Saurbrunnen vielleicht eingebildet haben/
du ſeyeſt der Erſte geweſen/ der den ſüſſen Milchraum
abgehoben; Ach nein du Tropff! du biſt betrogen/ er war
hin/ ehe du vielleicht biſt geboren worden/ darumb dir   30
dann billich/ weil du zu ſpat aufgeſtanden/ nur der Zeiger
gebührt und vorbehalten worden; aber diß iſt nur Puppen-
werck gegen dem zurechnen/ wie ich dich ſonſt angeſeilt
und betrogen habe/ welches du an ſeinem Ort auch gar
ordenlich von mir vernehmen ſolt.   35

---

1 hier E²ᵃ   2 Ehre E²ᵃ   4 verfüget E²ᵃ   hoffet E²ᵃ   6 Ehre E²ᵃ
11 einem E²ᵃ   13 führete E²ᵃ   15 bezeugete E²ᵃ   alſobald E²ᵃ
16 nachſtellete E²ᵃ   17 gefiel E²ᵃ·³   18 ehrliches E²ᵃ   19 ihm E²ᵃ
21 Poſſe E²ᵃ   22 ließ E²ᵃ   27 Saurbrunn E²ᵃ   28 ſeyſt E²ᵃ
Milchraam (meiner Jungferſchafft) E²ᵃ   29 Tropff] armer Tropff
E²ᵃ   30 eh E²ᵃ   32 gebühret E²ᵃ   Poppenwerck E²ᵃ   35 ordentlich E²ᵃ

Courage wird darumb eine Ehefrau und Rittmeisterin/
weil sie gleich darauf wieder zu einer Wittb= werden
muste/ nachdem sie vorhero den Ehestand eine weil= lediger
Weise getrieben hatte.

Also lebte ich nun mit meinem Rittmeister in heimlicher
Liebe/ und versahe ihm beydes die Stelle eines
Cammerdieners und seines Eheweibs; ich quälte ihn offt/
daß er dermahlen eins sein Versprechen halten/ und mich
zur Kirchen führen solte/ aber er hatte allzeit eine Aus=
rede/ vermittelst deren er die Sach auf die lange Banck
schieben konnte/ niemahlen konnte ich ihn besser zu Chor
treiben/ als wann ich eine gleichsam unsinnige Liebe gegen
ihn bezeugte/ und darneben meine Jungfrauschafft wie
des Jephthae Tochter beweinte; welchen Verlust ich doch
nicht dreyer Heller wehrt schätzte; ja ich war froh/ daß
mir solche als ein schwerer unträglicher Last entnommen
war/ weil mich nunmehr der [38] Fürwitz verlassen; doch
brachte ich mit meiner liebreitzenden Importunität so viel
zuwegen/ daß er mir zu Wien ein doll Kleid machen
liesse/ auf die neue Mode/ wie es damahlen das Adeliche
Frauenzimmer in Italia trug/ (so daß mir nichts anders
manglete/ als die Copulation/ und daß man mich einmal
Frau Rittmeisterin nennete/) wormit er mir eine grosse
Hoffnung machte/ und mich willig behielte; ich dorffte
aber drumb dasselbig Kleid nicht tragen/ noch mich vor
ein Weibsbild/ vielweniger aber vor seine Gespons aus=
geben; und was mich zum allermeisten verdrosse/ war
diß/ daß er mich nicht mehr Janco/ auch nicht Libuschka
sondern Courage nannte; denselben Nahmen ähmten andere
nach/ ohne daß sie dessen Ursprung wusten/ sondern ver=
meinten mein Herr hiesse mich dessentwegen also/ weil ich
mit einer sonderbaren Resolution und unvergleichlichen

---

3 Witwe E²ᵃ　8 Eheweibes E²ᵃ　quälete E²ᵃ　9 dermahl E²ᵃ　10
Kirche E²ᵃ　allezeit E²ᵃ　11 Sache E²ᵃ　15 beweinete E²ᵃ　16
schätzete E²ᵃ　17 eine schwere unträgliche E²ᵃ　18 verlassen] je län=
ger je mehr kützelte E²ᵃ　20 zuwege E²ᵃ　21 ließ E²ᵃ　24 womit
E²ᵃ　25 willig] beym willen E²ᵃ　behielt E²ᵃ　26 darum dasselbige
E²ᵃ　28 verdroß E²ᵃ　31 ohn E²ᵃ　vermeineten E²ᵃ

Courage in die allerärgſte Feinds=Gefahrn zu gehen pflegte/
und alſo muſte ich ſchlucken was ſchwer zu [39] verdauen
war. Darumb O ihr lieben Mägdgen! die ihr noch euer
Ehr und Jungfrauſchafft unverſehrt erhalten habt/ ſeyd
gewarnet/ und laſſet euch ſolche ſo liderlich nicht hin=   5
rauben/ dann mit derſelbigen gehet zugleich euere Freyheit
in Ducka§/ und ihr gerahtet in ein ſolche Marter und
Sclaverey/ die ſchwerer zu erbulden iſt/ als der Todt
ſelbſten/ ich hab§ erfahren und kan wol ein Liedlein dar=
von ſingen; Der Verluſt meines Kräntzleins thät mir zwar   10
nicht wehe/ dann ich hab niemal kein Schloß darumb zu
kauffen begehrt/ aber dieſes gieng mir zu Hertzen/ daß
ich mich noch de§wegen foppen laſſen/ und noch gute Wort
darzu geben muſte/ wolte ich nicht in Sorgen leben/ daß
mein Rittmeiſter au§ der Schul ſchwatzen/ und mich aller   15
Welt zu Spott und Schand darſtellen möchte. Auch ihr
Kerl/ die ihr mit ſolcher betrüglichen Schnapphanerey
umbgehet/ ſehet euch vor/ daß ihr nicht den Lohn euerer
Leichtfertigkeit von deren empfahet/ die ihr zu billicher
Rach [40] beweeget; wie man ein Exempel zu Pari§ hat/   20
allwo ein Cavallier/ nachdem er eine Dame betrogen/ und
ſich folgents an ein andere verheuraten wolte/ widerumb
zum Beyſchlaff gelockt: de§ Nacht§ aber ermordet/ elend
zerſtümmelt/ und zum Fenſter hinau§ auf die offene Straß
geworffen wurde; ich muß von mir ſelbſt bekennen/ wann   25
mich mein Rittmeiſter nicht mit allerhand hertzlichen Lieb§=
bezeugungen unterhalten/ und mir nicht ſtetig Hoffnung
gemacht hätte/ mich noch entlich ohne allen Zweiffel zu
ehelichen/ daß ich ihm einmal unverſehens in einer Occaſion
ein Kugel geſchenckt hätte; Indeſſen marchirten wir unter   30
de§ Bucquoy Commando in Ungarn/ und nahmen zum
erſten Preßburg ein/ allwo wir auch unſere meiſte Bagage
und beſte Sachen hinderlegeten/ weil ſich mein Rittmeiſter
verſahe/ wir würden mit dem Bethlen Gabor eine Feld=

---

1 Feindes=Geſahren E²ª   3 eure Ehre E²ª   4 habet E²ª   6 derſelben
E²ª   eure E²ª   7 eine E²ª   9 davon E²ª   11 habe E²ª   12 begeh=
ret E²ª   15 Schule E²ª   16 Schande E²ª   18 euer E²ª   20 Rache
E²ª   22 eine E²ª   23 gelocket E²ª   24 offne Straße E²ª   26 Lieb=
bezeugungen E²ª   28 gemachet E²ª   ohn E²ª   30 eine E²ª   ge=
ſchencket E²ª

schlacht wagen müssen/ von dannen giengen wir nach
S. Georgi/ Possing/ Moder und andere Ort/ welche [41]
erstlich geplündert und hernach verbrennt wurden/ Tirnau/
Altenburg und fast die gantze Insul nahmen wir ein/ und
vor Neusoll kriegten wir einige Stösse / allwo nicht allein
mein Rittmeister tödlich verwundet/ sondern auch unser
General der Graf Bucquoy selbsten nidergemacht wurde/
welcher Tod dann verursachte/ daß wir anfiengen zu
fliehen/ und nicht aufhöreten/ bis wir nach Preßburg
kamen/ daselbst pflegte ich meinem Rittmeister mit gantzen
Fleiß/ aber die Wundärtzte propheceyten ihm den gewissen
Tod/ weil ihm die Lung verwundet war/ derowegen
wurde er auch durch gute Leute erinnert und dahin be-
wögt daß er sich mit Gott versöhnet/ dann unser Regi-
ments-Caplan war ein solcher eiferiger Seelensorger/ daß
er ihm keine Ruhe ließ/ bis er beichtet und communicirte;
Nach solchem wurde er beydes durch seinen Beichtvatter
und sein eigen Gewissen angesport und getrieben/ daß er
mich mit ihme im Bette copuliren liesse/ welches [42] nicht
seinem Leib/ sondern seiner Seelen zum besten angesehen
war/ und solches gieng desto ehender/ weil ich ihn über-
redet/ daß ich mich von ihm schwanger befände; So ver-
kehrt nun gehets in der Welt her/ andere nehmen Weiber
mit ihnen ehelich zu leben/ dieser aber ehelichte mich/ weil
er wuste daß er solte sterben! Aus diesem Verlauff musten
die Leute nun glauben/ daß ich ihn nicht als ein getreuer
Diener/ sondern als seine Matreß bedient/ und sein Unglück beweinet hatte/ das Kleid kam mir wol zu der
Hochzeit-Ceremonien zu Paß/ welches er mir hiebevor
machen lassen/ ich dorffte es aber nicht lang tragen/
sondern muste ein schwartzes haben/ weil er nach wenig
Tagen mich zur Wittib machte/ und damals gieng mirs
allerdings wie jenem Weib/ die bey ihres Manns Be-
gräbnis einem ihrer Befreundten/ der ihr das Leid klagte/
zur Antwort gab; was einer zum liebsten hat/ führt

2 Orter E²ᵃ   3 verbrand E²ᵃ   5 einzige E²ᵃ   7 nidergemachet ward
E²ᵃ   10 gantzem E²ᵃ   12 Lunge E²ᵃ   13 ward E²ᵃ   beweget E²ᵃ
14 versühnete E²ᵃ   16 beichtete E²ᵃ   17 ward E²ᵃ   18 angesporet
E²ᵃ   19 ihm E²ᵃ   ließ E²ᵃ   20 Seele E²ᵃ   21 ehender an/ E²ᵃ
überredete E²ᵃ   32 Wittwe E²ᵃ   33 Mannes E²ᵃ

einem der Teuffel zum ersten hin. Ich liesse ihn seinem
Stand gemäß [43] prächtig genug begraben/ dann er mir
nicht allein schöne Pferdt/ Gewehr und Kleider: sondern
auch ein schön Stück Gelt hinterlassen/ und umb alle diese
Begebenheit liesse ich mir von den Geistlichen Schrifftlichen 5
Urkund geben/ der Hoffnung dardurch von seiner Eltern
Verlassenschafft noch etwas zu erhaschen/ ich konnte aber
auf fleissiges Nachforschen nichts anders erfahren/ als daß
er zwar gut Edel von Geburt: aber hingegen so blut=arm
gewesen/ daß er sich elend behelffen müssen/ wann ihm 10
die Böhmen keinen Krieg geschickt oder zugericht hätten.
Ich verlohre aber zu Preßburg nicht allein diesen meinen
Liebsten/ sondern wurde auch in selbiger Stadt vom
Bethlen Gabor belägert/ dieweil aber zehen Compagnien
Reuter und zwey Regiment zu Fuß aus Mähren durch 15
ein Stratagema die Stadt entsetzet/ Bethlen an der Eroberung verzweiffelt und die Belägerung aufgehoben/ habe
ich mich mit einer guten Gelegenheit sammt meinen
Pferdten/ [44] Dienern und gantzer Pagage nach Wien
begeben/ umb von dannen widerumb in Böhmen zu 20
kommen; zu sehen/ ob ich vielleicht meine Kostfrau zu
Bragodiz noch lebendig finden und von ihr erkundigen
möchte/ wer doch meine Eltern gewesen; ich kützelte mich
damals mit keinen geringen Gedancken/ was ich nemlich
vor Ehr und Ansehens haben würde/ wann ich wider 25
nach Hauß käme/ und so viel Pferdt und Diener mit-
brächte/ das ich alles laut meiner Urkund im Krieg redlich
und ehrlich gewonnen.

1 ließ E²ᵃ   3 Pferde E²ᵃ   4 ein *fehlt* E²ᵃ   5 ließ E²ᵃ   schrifftliche
E²ᵃ   6 dadurch E²ᵃ   11 zugerichtet E²ᵃ   12 verlor E²ᵃ   alleine E³
13 ward E³   15 Regimenter E²ᵃ   16 Stratagema (Kriegs=List) E²ᵃ
Bethlen Gabor E²ᵃ   19 Pferden E²ᵃ   22 erkündigen E³   25 Ehre
E²ᵃ   Ansehen E²ᵃ   28 gewonnen hatte E²ᵃ

Was die Rittmeisterin Courage in ihrem Wittibstand vor
ein erbares züchtiges / wie auch verruchtes Gottloses Leben
geführet / wie sie einem Grafen zu Willen wird / einen
Ambassador umb seine Pistolen bringet / und sich andern
mehr umb reiche Beute zu erschnappen willig unterwirfft.

WEil ich meine vorhabende Reise Unsicherheit halber
von Wien aus nach Bragodiz so bald nicht ins Werck
zu setzen getraute / zumalen es in den Wirthshäusern grausam theur zu zehren war / als verkauffte ich meine Pferdte
und schaffte alle meine Diener ab / dingte mir aber hingegen eine Magd und bey einer Wittib eine Stube /
Cammer und Kuchel / umb genau zu hausen und Gelegenheit zu erwarten / mit deren ich sicher nach Haus kommen
könnte; Dieselbe Wittib war ein rechtes Dauß=Es die
nicht viel ihres Gleichen hatte; Jhre zwo Töchter aber
waren unsers Volcks / und beydes bey der [46] Hofbursch
und den Kriegs=Officiern wol bekandt / welche mich auch
bey denselben bald bekand machten; so / daß dergleichen
Schnapphanen in Kürtze die grosse Schönheit der Rittmeisterin / die sich bey ihnen enthielte / untereinander zu
rühmen wusten / gleich wie mir aber mein schwartzer
Traur=Habit ein sonderbares Ansehen und erbare Gravi-
tät verliehe / zumalen meine Schönheit desto höher her-
für leuchten machte / also hielte ich mich auch anfänglich
gar still und eingezogen; meine Magd muste spinnen /
ich aber begab mich aufs Nähen / Wircken und andere
Frauenzimmer=Arbeit / daß es die Leute sahen / heimlich
aber pflantzte ich meine Schönheit auf / und konte offt ein
gantze Stund vorm Spiegel stehen / zu lernen und zu
begreiffen / wie mir das Lachen / das Weinen / das Seufftzen
und andere dergleichen veränderliche Sachen anstunden;
und diese Thorheit solte mir ein genugsame Anzeigung
meiner Leichtfertigkeit / und eine gewisse Prophecetung
gewesen seyn / [47] daß ich meiner Würthin Töchtern bald

2 Witwenstand E²ᵃ   3 verrucktes E²ᵃ   10 theuer E³   Pferde E²ᵃ
12 Witwe E²ᵃ   13 Küchen E²ᵃ   15 Witwe E²ᵃ   Dauß=Es E²ᵃ   18
Kriegs=Officirern E²ᵃ   25 hielt E²ᵃ   29 eine E²ᵃ   30 Stunde vor
dem E²ᵃ   32 anstünden E²ᵃ   33 eine E²ᵃ

nachähmen würde; welche auch / damit solches bald geschehe / sammt der Alten anfiengen gute Kundschafft mit
mir zu machen / und mir die Zeit zu kürtzen mich offt
in meinem Zimmer besuchten / da es dann solche Discurs
setzte / die so jungen Dingern wie ich war / die Frommkeit   5
zuerhalten / gar ungesund zu seyn pflegen; sonderlich bey
solchen Naturen wie die Meinige inclinirt gewesen; Sie
wuste mit weitläufftigen Umbschweiffen artlich herumb zu
kommen / und lernete meine Magd Anfänglich / wie sie
mich recht auf die neue Mode auffsetzen und ankleiden   10
solte; Mich selbst aber unterrichtet sie wie ich meine weisse
Haut noch weisser / und meine Goldfarbe Haar noch
gläntzender machen solte / und wann sie mich dann so
gebutzt hatte / sagte sie / es wäre immer Schad / daß so
ein edele Creatur immerhin in einem schwartzen Sack   15
stecken / und wie ein Turteltäublein leben solte; das thät
mir dann trefflich kirr / und war Oehl zu dem ohne das
bren= [48] nenden Feur meiner anreitzenden Begierden;
Sie lehnete mir auch den Amadis die Zeit darinn zu
vertreiben und Complimenten daraus zu ergreiffen / und   20
was sie sonst erdencken konnte / das zu Liebes=Lüsten
reitzen machte / das liesse sie nicht unterwegen.

Indessen hatten meine abgeschaffte Diener ausgesprengt
und unter die Leute gebracht / was ich vor eine Ritt-
meisterinn gewesen / und wie ich zu solchem Titul kommen /   25
und weil sie mich nicht anders zu nennen wusten / ver-
bliebe mir der Nahm Courage, auch fieng ich nach und
nach an meines Rittmeisters zu vergessen / weil er mir
nicht mehr warm gab / und indem ich sahe / daß meiner
Würthin Töchter so guten Zuschlag hatten / wurde mir   30
das Maul allgemach nach neuer Speise wässerig / welche
mir auch meine Würthin lieber als ihr selbst gern gegönnt hätte; doch dorffte sie mir / so lang ich die Traur
nicht ablegte / noch nichts dergleichen so offentlich zumuhten /
weil sie sahe / daß ich die Anwürff / so hierauf [49] zieh=   35

4 Discurse E³ 5 Frömmigkeit E²ᵃ 8 wusten E³ weitläufftigen
E²ᵃ 10 auffsetzen (auffbändeln) E²ᵃ 11 unterrichtete E²ᵃ 14 ge-
butzet E²ᵃ Schade E²ᵃ 15 ein] eine E²ᵃ 17 ohn E²ᵃ 18 Feuer
E³ 20 Complimenten E³ 21 Liebe=Lüsten E²ᵃ 22 ließ E²ᵃ 26 verblieb E²ᵃ 27 ich an E²ᵃ 28 an fehlt E²ᵃ 30 ward E²ᵃ 35 An-
würffe E²ᵃ

leten / gar kaltsinnig annahm; gleichwol unterliessen etliche
vornehme Leute nicht / ihr täglich meinetwegen anzuliegen /
und umb ihr Hauß herumb zu schwermen wie die Raub-
Bienen umb ein Immenfaß / unter diesen war ein junger
5 Graf / der mich neulich in der Kirchen gesehen / und sich
aufs äuserste verliebt hatte / dieser spendirte trefflich / einen
Zutritt zu mir zu bekommen / und damit es ihm anderwärts gelingen möchte / weil ihn meine Würthin noch zur
Zeit nicht kecklich bey mir anzubringen getraute / (die er
10 dessentwegen offt vergeblich ersucht /) erkundigte er von
einem meiner gewesenen Diener alle Beschaffenheit des
Regiments / darunter mein Rittmeister gelebt / und als er
der Officier Nahmen wuste / demütigt er sich mir aufzuwarten oder mich Persönlich zu besuchen umb seinen
15 Bekandten nachzufragen / die er sein Lebtag nicht gesehen
hatte / von dannen kam er auch auf meinen Rittmeister /
von welchem er auffschnitte / daß er in der Jugend neben
[50] ihm studirt und allzeit gute Kundschafft und Ver-
treulichkeit mit ihm gehabt hätte / beklagte auch seinen
20 frühezeitigen Abgang / und lamentirte damit zugleich über
mein Unglück / daß es mich in einer solchen zarten Jugend
so bald zu einer Wittib gemacht / mit Anerbieten / da ich
in irgend was seiner Hülffe bedürfftig wäre / etc. mit
solchen und dergleichen Aufzügen suchte der junge Herr
25 sein erste Kundschafft mit mir zu machen / die er auch
bekam / und ob ich zwar greiffen konnte / das er im
Reden irrete (dann mein Rittmeister hatte ja das geringste
nicht studirt.) So liesse ich mir doch seine Weise wolgefallen /
weil seine Meinung dahin gieng / des abgangnen Ritt-
30 meisters Stell bey mir zu ersetzen / doch stellte ich mich
gar frembt und kaltsinnig / gab kurtzen Bescheid und zwang
ein zierlichs Weinen daher / bedanckte mich seines Mitt-
leidens und der anerbottenen Gnad / mit so beschaffnen
Complimenten / die genugsamb waren / ihme anzudeuten /

---

5 Kirche E²ᵃ   8 ihn] ich E²ᵃ   10 ersuchte E²ᵃ   12 Regimens E³
gelebet E²ᵃ   13 Officirer E²ᵃ   demütigte E²ᵃ   16 meinem E³   18
studiret E²ᵃ   allezeit E²ᵃ   22 Witwe gemachet E²ᵃ   23 was] wo
E²ᵃ   bedürffig E²ᵃ   24 Aufzüchen E³   25 seine E²ᵃ   26 obzwar
ich E²ᵃ   28 nit E²ᵃ   ließ E²ᵃ   29 abgangenen E²ᵃ   30 Stelle E²ᵃ
stellete E²ᵃ   31 fremb E²ᵃ   32 zierliches E²ᵃ   33 Gnade E²ᵃ   be-
schaffenen E²ᵃ   34 ihm E²ᵃ

daß sich seine Liebe vor dißmal [51] mit einem guten
Anfang genügen lassen/ er selbst aber widerumb einen
ehrlichen Abscheid von mir nehmen solte.

Den andern Tag schickte er seinen Lacqueyen/ zu ver=
nehmen/ ob er mir kein Ungelegenheit machte/ wann er
käme mich zu besuchen; Ich liesse ihm wider sagen/ er
machte mir zwar keine Ungelegenheit/ und ich möchte seine
Gegenwart auch wol leiden/ allein weil es wunderliche
Leute in der Welt gebe/ denen alles verdächtig vorkäme/
so bäte ich/ er wolle meiner verschonen/ und mich in kein
bös Geschrey bringen. Diese unhöffliche Antwort machte
den Grafen nicht allein nicht zornig/ sondern viel ver=
liebter/ er passirte Maulhenckolisch bey dem Hause vor=
über/ der Hoffnung/ auffs wenigst nur seine Augen zu
weiden/ wann er mich am Fenster sehe/ aber vergeblich/
ich wolte meine Wahr recht theur an Mann bringen/
und liesse mich nicht sehen/ in dessen nun dieser vor Liebe
halber vergieng/ legte ich meine Trauer ab/ und prangte
in meinem andern Kleid/ darinn [52] ich mich dorffte
sehen lassen; da unterliesse ich nichts das mich ziern
möchte/ und zohe damit die Augen und Hertzen vieler
grossen Leut an mich/ welches aber nur geschahe/ wann
ich zur Kirchen gieng/ weil ich sonst nirgends hin kam/
ich hatte täglich viel Grüsse und Pottschafften von diesen
und von jenen anzuhören/ die alle in des Grafen Spital
kranck lagen/ aber ich bestunde so unbewöglich wie ein
Felsen/ bis gantz Wien nicht allein von dem Lob meiner
unvergleichlichen Schönheit/ sondern auch von dem Ruhm
meiner Keuschheit und anderer seltenen Tugenden erfüllt
ward; Da ich nun meine Sach so weit gebracht/ daß
man mich schier vor eine halbe Heiliginne hielte/ duncktе
mich Zeit seyn/ meinen bisher bezwungenen Begierden
den Zaum einmal schiessen zu lassen/ und die Leute in
ihrer guten von mir gefaster Meinung zu betrügen. Der
Graf war der Erste/ dem ich Gunst bezeugte/ und wider=

3 Abschied E²ᵃ   5 keine E²ᵃ   6 ließ E²ᵃ   13 Hauß E²ᵃ   14 wenig=
ste E²ᵃ   16 Wahre E²ᵃ   theuer E³   20 unterließ E²ᵃ   zieren E²ᵃ.³
22 Leute E²ᵃ   23 Kirche E²ᵃ   24 Botschafften E²ᵃ   26 bestund E²ᵃ
unbeweglich E²ᵃ   27 Felß E²ᵃ   29 erfüllet E²ᵃ   30 Sache E²ᵃ   31
Heiligin hielt/ dünckte E²ᵃ

fahren liesse/ weil er solche zu erlangen weder Mühe noch
Un= [53] costen sparete/ er war zwar Liebens wehrt und
liebte mich auch von Hertzen/ und ich hielte ihn vor den
Besten unterm gantzen Hauffen/ mir meine Begierden zu
sättigen; Aber dannoch so wäre er nicht darzu kommen/
wann er mir nicht gleich nach abgelegter Traur ein Stück
Columbinen Ablaß mit aller Ausstaffierung zu einem
neuen Kleid geschickt/ und vor allen Dingen 100. Ducaten
in meine Haushaltung/ umb daß ich mich über meines
Manns Verlust desto besser trösten solte/ verehrt hätte;
Der Ander nach ihm war eines grossen Potentaten Am=
bassador/ welcher mir die erste Nacht 60. Pistolen zu ver=
dienen gabe/ nach diesen kamen auch andere/ und zwar
keine die nicht tapffer spendieren konnten/ dann was arm
war/ oder wenigst nicht gar reich und hoch/ das mochte
entweder draussen bleiben/ oder sich mit meiner Würthin
Töchtern behelffen/ und solcher Gestalt richtete ichs dahin/
daß meine Mühle gleichsamb nie leer stunde/ ich maltzerte
auch so Meisterlich/ daß ich in= [54] ner Monats Frist
über 1000. Ducaten in specie zusammen brachte/ ohne das
jenige/ was mir an Kleinodien/ Ringen/ Ketten/ Arm=
bändern/ Sammet/ Seiden und Leinen Gezeug (mit
Strümpfen und Handschuhen dorffte wol keiner aufziehen/)
auch an Victualien, Wein und anderen Sachen verehrt
wurde/ und also gedachte ich mir meine Jugend fürderhin
zu Nutz zu machen/ weil ich wuste daß es heist

> Ein jeder Tag bricht dir was ab/
> Von deiner Schönheit bis ins Grab.

Und es müste mich auch noch auf diese Stund reuen/
wann ich weniger gethan hätte; Endlich machte ichs so grob/
daß die Leute anfiengen mit Fingern auf mich zu zeichen/
und ich mir wol einbilden konnte/ die Sach würde so in
die Länge kein Gut thun/ dann ich schlug zu letzt dem
Geringen auch keine Reis ab/ meine Würthin war mir
treulich beholffen/ und hatte auch ihren ehrlichen Gewinn
davon; Sie lernete mich allerhand feine Künste/ die nicht

---

1 ließ E²ᵃ   3 hielt E²ᵃ   10 Mannes E²ᵃ   verehret E²ᵃ   13 gab E²ᵃ
15 nit E²ᵃ   18 stund E²ᵃ   24 verehret ward E²ᵃ   32 Sache E²ᵃ   34
Reise E²ᵃ   36 nit E²ᵃ

nur leichtfertige [55] Weiber können/ sondern auch solche/
damit sich theils lose Männer schleppen/ so gar/ daß ich
mich auch fest machen/ und einem jeden/ wann ich nur
wolte/ seine Büchsen zubannen konnte/ und ich glaube/
wann ich länger bey ihr blieben wäre/ daß ich auch gar   5
Hexen gelernt hätte; Demnach ich aber getreulich gewarnet
wurde/ daß die Obrigkeit unser Nest ausnehmen und zer-
stöhren würde/ kauffte ich mir eine Calesch und zwey Pferdt/
dingte einen Knecht/ und machte mich damit unversehens
aus dem Staub/ weil ich eben gute Gelegenheit hatte sicher   10
nach Prag zu kommen.

Das VI. Capitel.

Courage kommt durch wunderliche Schickung in die zweyte
Ehe/ und freyete einen Hauptmann/ mit dem sie trefflich
glückselig und vergnügt lebte.   15

JCh hätte zu Prag feine Gelegenheit gehabt/ mein Handwerck ferners zu treiben/ aber die Begierde meine
Kostfrau zu sehen/ und meine Eltern zuerkundigen/ triebe
mich auf Bra= [56] godiz zu reisen/ welches ich/ als in
einem befriedeten Land sicher zu thun getraute; aber potz   20
Hertz/ da ich an einem Abend allbereit den Ort vor mir
liegen sahe/ da kamen eilff Mansfeldische Reuter/ die ich/
wie sonst jederman gethan hatte/ vor Käiserisch und Gut-
freund ansahe/ weil sie mit roten Scharpen oder Feldzeichen
mundirt waren/ diese packten mich an/ und wanderten mit   25
mir und meinem Calesch dem Böhmer=Wald zu/ als wann
sie der Teufel selbst gejagt hätte/ ich schrey zwar/ als wann
ich an einer Folter gehangen wäre/ aber sie machten mich
bald schweigen; umb Mitternacht kamen sie in eine Meyerey
die einzig vorm Wald lag/ allwo sie anfiengen zu füttern/   30
und mit mir umbzugehen/ wie zu geschehen pflegt/ welches
mir zwar der schlechteste Kummer war/ aber es wurde ihnen
geseegnet/ wie dem Hund das Gras/ dann in dem sie ihre
Viehische Begierden sättigten/ wurden sie von einem Haupt-

---

6 gelernet E²ᵃ 7 ward E²ᵃ 8 Pferde E²ᵃ 13 Corauge E³ 16
hatte E³ 18 trieb E²ᵃ 20 getrauete E²ᵃ 26 meiner E²ᵃ 27
schriehe E²ᵃ 31 pfleget E²ᵃ 32 ward ihn E²ᵃ 33 in deme E³

mann/ der mit dreyßig Tragonern eine Convoy nach Pil-
[57] sen verrichtet hatte/ überfallen/ und weil sie durch
falsche Feldzeichen ihren Herren verläugnet/ alle miteinander
niedergemacht/ das Meinige hatten die Mansfeldische noch
nicht gepartet/ und demnach ich Käiserl. Paß hatte/ und
noch nicht 24. Stund in Feinds Gewalt gewesen/ hielte ich
dem Hauptman vor/ daß er mich und das Meinige vor
keine rechtmässige Beuten halten und behalten könnte; Er
muste es selbst bekennen/ aber gleichwol/ sagte er/ wäre
ich ihm umb meiner Erlösung willen obligirt, er aber nicht
zu verdencken/ wann er einen solchen Schatz den er vom
Feind erobert/ nicht mehr aus Händen zu lassen gedächte/
sehe ich eine verwittibte Rittmeisterinn/ wie mein Paß
auswiese/ so sehe er ein verwittibter Hauptmann/ wann
mein Will darbey wäre/ so würde die Beut bald getheilt
seyn/ wo nicht/ so werde er mich gleichwol mitnehmen/
und hernach er erst mit einem jedwedern disputirn, ob
die Beute rechtmässig sey oder nicht/ hiermit liesse er
genugsam schei= [58] nen/ daß er allbereit den Narrn an
mir gefressen/ und damit er das Wasser auf seine Mühl
richtete/ sagte er/ diesen Fortheil wolte er mir lassen/ daß
ich erwehlen möchte/ ob er die Beute unter seine gantze
Bursch theilen solte/ oder ob ich vermittelst der Ehe sambt
dem Meinigen allein sein verbleiben wolte? Auf welchen
Fall er seine bey sich habende Leute schon bereden wolte/
daß ich mit dem Meinigen keine rechtmässige Beute/ sondern
ihme allein durch die Vereheligung zuständig worden wäre/
ich antwortete/ wann die Wahl bey mir stünde/ so begehrte
ich deren keins/ sondern meine Bitte wäre/ sie wolten mich
in meine Gewahrsam passiren lassen/ und damit fienge ich
an zu weinen/ als wann mirs ein gründlicher Ernst
gewesen wäre/ nach den alten Reimen:

Die Weiber weinen offt mit Schmertzen/
Aber es geht ihn nicht von Hertzen/
Sie pflegen sich nur so zu stellen/
Sie können weinen wann sie wöllen.

3 Herrn E²ᵃ 4 nidergemachet E²ᵃ 6 Stunden E²ᵃ Feindes E²ᵃ
hielt E²ᵃ 13 sey E²ᵃ 14 sey E²ᵃ 15 Beute E²ᵃ getheilet E²ᵃ.³
16 nit E²ᵃ 17 ererst E²ᵃ 18 ließ E²ᵃ 19 gnugsam E²ᵃ 20 Mühle
E²ᵃ 23 vermittels E²ᵃ 27 ihm E²ᵃ Vereheligung E²ᵃ 30 fing
E²ᵃ 34 Es geht ihn aber nicht E²ᵃ

[59] Aber es war meine Meinung/ ihm hierdurch Ursach zu geben mich zu trösten/ sich selbst aber stärcker zu verlieben/ sintemal mir wol bewust/ daß sich die Hertzen der Mannsbilder am allermeisten gegen dem weinenden und betrübten Frauenzimmer zu öffnen pflegen; der Poß gienge mir auch an/ und indem er mir zusprach/ und mich seiner Liebe mit hohem Beteuren versicherte/ gab ich ihm das Jawort/ doch mit diesem austrücklichen Beding und Vorbehalt/ daß er mich vor der Copulation im geringsten nicht berühren solte/ welches er beydes verheissen und gehalten; bis wir in die Mansfeldische Besestigungen zu Weidhausen ankahmen/ welches eben damals dem Hertzogen aus Bäyern vom Mannsfelder selbst per Accord übergeben worden/ und demnach meines Serviteurs hefftige Liebe wegen unsers Hochzeit=Fests keinen längern Verzug gedulten mochte/ liesse er sich mit mir ehelich zusammen geben/ ehe er möchte erfahren/ wormit die Courage ihr Geld [60] verdienet/ welches kein geringe Summa war; Ich war aber kaum einen Monat bey der Armee gewesen/ als sich etliche hohe Officierer fanden/ die mich nicht allein zu Wien gekandt/ sondern auch gute Kundschafft mit mir gehabt hatten; doch waren sie so bescheiden/ daß sie weder meine noch ihre Ehr offentlich ausschriehen/ es gieng zwar so ein kleines Gemurmel umb/ darüber ich aber gleichwol keine sonderliche Beschwerung empfand/ ausser daß ich den Nahmen Courage wiederumb gedulden muste.

Sonst hatte ich einen guten gedultigen Mann/ welcher sich eben so hoch über meine gelbe Batzen/ als wegen meiner Schönheit erfreute/ diese hielte er gesparsamer zusammen als ich gerne sahe; gleich wie ich aber solches geduldete/ also gab er auch zu/ daß ich mit Reden und Geberden gegen jederman desto freygebiger seyn dorffte/ wann ihn dann jemands vexirte/ daß er mit der Zeit wol Hörner kriegen dörffte/ antwortet er auch .im Schertz/ es

---

1 Ursache E²ᵃ   5 Posse ging E²ᵃ   8 ausdrücklichen E²ᵃ   12 Hertzog E²ᵃ   13 worden/und demnach] worden. Demnach nun E²ᵃ   15 ließ E²ᵃ   16 eh E²ᵃ   17 womit E²ᵃ   verdienet hatte E²ᵃ   18 keine E²ᵃ   23 Ehre E²ᵃ   26 gedulten E³   29 erfreute E²ᵃ   hielt E²ᵃ   30 gern E²ᵃ   34 antwortete E²ᵃ

sehe sein geringstes [61] Anliegen; dann ob ihm gleich einer
über sein Weib komme/ so lasse ers jedoch bey dem/ was
ein solcher ausgerichtet/ nicht verbleiben/ sondern nehme
Zeit dieselbe frembde Arbeit wider anders zu machen; Er
hielte mir jederzeit ein trefflich Pferd mit schönen Sattel
und Zeug mondirt/ ich ritte nicht wie andere Officiers=
Frauen in einem Weiber=Sattel/ sondern auf einen Manns=
Sattel; und ob ich gleich überzwergs sasse/ so führte ich
doch Pistolen und einen Türckischen Sebel unter dem
Schenckel/ hatte auch jederzeit einen Stegreiff auf der
andern Seiten hangen/ und war im übrigen mit Hosen
und einem dünnen dafseten Röcklein darüber also versehen/
daß ich all Augenblick schrittling sitzen und einen jungen
Reutters Kerl praesentirn konnte; gab es dann eine Ren-
contra gegen dem Feinde/ so war mir unmüglich **a part**
nicht mit zu machen/ ich sagte vielmalen: eine Dame/ die
sich gegen einem Mann zu Pferd zu wehren nicht wagen
dörffte/ solte auch kein Plümage wie ein [62] Mann tragen;
und demnach mir es bey etlichen Betteltäntzen glückte/ daß
ich Gefangne kriegte/ die sich keine Bernheuter zu seyn
duncken/ wurde ich so kühn/ wann dergleichen Gefecht
angieng/ auch einen Carbiner/ oder wie mans nennen
will/ ein Bandelier=Rohr an die Seite zu hängen/ und
neben dem Troupen auch zweyen zu begegnen/ und solches
desto hartnäckiger/ weil ich und mein Pferdt vermittelst der
Kunst/ die ich von vielgedachter meiner Würthin erlernet/
so hart war/ daß mich keine Kugel öffnen konnte.

So giengs und so stund es damal mit mir/ ich machte
mehr Beuten als mancher geschworner Soldat/ welches auch
Manchen und Manche verdroß; aber da fragte ich wenig
nach/ dann es gab mir Schmaltz auf meine Suppen/ die
Verträulichkeit meines sonst (gegen meiner Natur zu rechnen/)
gantz unvermöglichen Manns/ verursachte/ daß ich ihm

1 sey E²ᵃ ob ihm gleich] obgleich ihm E²ᵃ 5 hielt E²ᵃ schönem E²ᵃ
6 Officirers=Frauen E²ᵃ 7 einem E²ᵃ 8 ob ich gleich] obgleich ich
E²ᵃ saß E²ᵃ 11 Seite E²ᵃ 13 Augenblicke schrittlings E²ᵃ 14
könnte E³ Rencontre E²ᵃ 15 Feind E²ᵃ 16 nit E²ᵃ 17 nit E²ᵃ
18 keine E²ᵃ 19 demnach es mir E²ᵃ 20 Gefangene E²ᵃ 21
dünckten E²ᵃ dunckten E³ 28 ging E²ᵃ 33 unvermüglichen Man-
nes/verursachete E²ᵃ

gleichwol Farb hielte/ ob sich gleich Höhere als Haubtleute
bey mir anmel- [63] deten/ die Stelle seines Leutenants zu
vertretten/ dann er liesse mir durchaus meinen Willen/
hingegen war ich nichts destoweniger bey den Gesellschafften
lustig/ in den Conversationen frech/ aber auch gegen dem
Feind so heroisch/ als ein Mann/ im Feld so häußlich
und zusammen-hebig als immer ein Weib; in Beobachtung
der Pferde besser als ein guter Stallmeister/ und in den
Quartiren von solcher Prosperität/ daß mich mein Hauptmann nicht besser hätte wünschen mögen/ und wann er
mir zu Zeiten einzureden Ursach hatte/ litte er gerne/ daß
ich ihm Widerpart hielte/ und auf meinen Kopff hinaus
fuhr/ weil sich unser Geld so sehr dardurch vermehrte/
daß wir einen guten Particul darvon in eine vornehme
Stadt zu verwahren geben musten. Und also lebte ich
trefflich glückselig und vergnügt/ hätte mir auch meine
Tage keinen anderen Handel gewünscht/ wann nur mein
Mann etwas besser beritten gewest wäre; Aber das Glück
oder mein Fatum [64] liesse mich nicht lang in solchem
Stand/ dann nachdem mir mein Haubtmann bey Wißlach
tod geschossen wurde/ sihe/ so ward ich widerumb in einer
kurtzen Zeit zu einer Wittib.

Das VII. Capitel.

Courage schreitet zur dritten Ehe/ und wird aus einer
Hauptmännin eine Leutenantin/ trifft aber nicht so wol
als vorhero/ schlägt sich mit ihrem Leutenant umb die
Hosen mit Prügeln/ und gewinnet solche durch ihre tapfere
Resolution und Courage; darauf sich ihr Mann unsichtbar
macht/ und sie sitzen läßt.

MEin Mann war kaum kalt und begraben/ da hatte
ich schon widerum ein gantz dutzent Freyer und die
Wahl darunter/ welchen ich aus ihnen nehmen wolte/ dann
ich war nicht allein schön und jung/ sondern hatte auch

---

1 Farbe hielt/obgleich sich E²ᵃ   3 ließ E²ᵃ   5 den E³   11 Ursache
E²ᵃ   gern E²ᵃ   12 hielt E²ᵃ   14 davon E²ᵃ   17 gewünschet E²ᵃ
18 gewesen E²ᵃ   19 ließ E²ᵃ   21 ward E²ᵃ   22 Witwe E²ᵃ   29
machet E²ᵃ   lässet E²ᵃ   33 nit E²ᵃ

schöne Pferd und zimlich viel alt Geld/ und ob ich mich
gleich vernehmen liesse/ daß ich meinem Haubtmann seel.
zu Ehren noch ein halb Jahr trauren [65] wolte/ so konnte
ich jedoch die Importune=Hummeln/ die umb mich/ wie
umb einen fetten Honighafen/ der keinen Deckel hat/
herumb schwermbten/ nicht. abtreiben/ der Obriste versprach
mir bey dem Regiment Unterhalt und Quartier/ bis ich
mein Gelegenheit anders anstellte/ hingegen liesse ich zween
von meinen Knechten Herren=Dienste versehen/ und wann
es Gelegenheit gab/ bey deren ich vor mein Person vom
Feind etwas zu erschnappen getraute/ so sparte ich meine
Haut so wenig als ein Soldat/ allermassen ich in dem
anmutigen und fast lustigen Treffen bey Wimpffen einen
Leutenant/ und im Nachhauen unweit Heilbrunn einen
Cornet sammt seiner Standart gefangen bekommen/ meine
beyde Knechte aber haben bey Plünderung der Wägen
zimliche Beuten an paarem Gelt gemacht/ welche sie unserem
Accord gemäß mit mir theilen musten; Nach dieser Schlacht
bekam ich mehr Liebhaber als zuvor/ und demnach ich bey
meinem vorigen Mann mehr gu= [66] te Täge a.s gute
Nächte gehabt/ zumalen wider meinen Willen seit seinem
Tod gefastet/ sihe/ so gedachte ich durch meine Wahl alle
solche Versaumnus wider einzubringen/ und versprach mich
einem Leutenant/ der meinem Bedüncken nach alle seine
Mittbuhler beydes an Schönheit/ Jugend/ Verstand und
Tapferkeit übertraff; dieser war von Geburt ein Italianer
und zwar schwartz von Haaren/ aber weiß von Haut/ und
in meinen Augen so schön/ daß ihn kein Mahler hätte
schöner mahlen können; Er bewiese gegen mir fast eine
Hunds=Demut bis er mich erlöffelt/ und da er das Jawort
hinweg hatte/ stellte er sich so Freuden voll/ als wann
Gott die gantze Welt beraubt/ und ihn allein beseeligt
hätte; wir wurden in der Pfaltz copulirt/ und hatten die
Ehre/ daß der Obriste selbst neben den meinsten hohen

1 Pferde E²ᵃ   ob~ gleich] obgleich ich mich E²ᵃ   6 schwermeten E²ᵃ
8 meine E²ᵃ   ließ E²ᵃ   10 denen E³   meine E²ᵃ.³   11 getrauete
E²ᵃ   17 Beuten E²ᵃ.³   baarem E²ᵃ   gemachet E²ᵃ   24 Bedüncken
E²ᵃ   31 stellete E²ᵃ   33 copuliret E²ᵃ   34 meisten E²ᵃ

Officiern des Regiments bey der Hochzeit erschienen / die
uns alle vergeblich viel Glück in eine langwürige Ehe
wünschten.

[67] Dann nach dem wir nach der ersten Nacht bey
Aufgang der Sonnen beysammen lagen zu faullentzen / und
uns mit allerhand liebreichem und freundlichem Gespräch
unterhielten / ich auch eben aufzustehen vermeinte / da ruffte
mein Leutenant seinem Jungen zu sich vors Bette / und
befahl ihm / daß er zween starcke Prügel herbey bringen
solte; Er war gehorsamb / und ich bildete mir ein der
arme Schelm würde dieselbe am allerersten versuchen
müssen; unterliesse derowegen nicht / vor den Jungen zu
bitten / biß er beyde Prügel brachte und auf empfangenen
Befelch auf den Tisch zum Nachtzeug legte; Als nun der
Jung wider hinweg war / sagte mein Hochzeiter zu mir;
Ja! liebste; ihr wist / daß jederman darvor gehalten und
geglaubt / ihr hättet bey euers vorigen Manns Lebzeiten
die Hosen getragen / welches ihme dann bey ehrlichen Gesellschafften zu nicht geringerer Beschimpffung nachgeredet
worden; weil ich dann nicht unbillich zu besorgen habe /
ihr möchtet in sol= [68] cher Gewonheit verharren / und
auch die Meinige tragen wollen / welches mir aber zu
leiden unmüglich / oder doch sonst schwer fallen würde;
Sehet / so liegen sie dorten auf dem Tische / und jene zween
Prügel zu dem Ende darbey / damit wir beyde uns / wann
ihr sie etwan wie vor diesem euch zuschreiben und behaubten
woltet / zuvor darumb schlagen könnten; sintemal mein
Schatz selbst erachten kan / daß es besser gethan ist / sie
fallen gleich jetzt im Anfang dem einen / oder andern Theil
zu / als wann wir hernach in stehender Ehe täglich darumb
kriegen; Ich antwortete: mein Liebster! (und damit gab
ich ihm gar einen hertzlichen Kuß /) ich hätte vermeint
gehabt / die jenige Schlacht so wir einander vor dißmal
zu lieffern / seye allbereit gehalten; so hab ich auch niemalen

5

10

15

20

25

30

1 Officirern E²ᵃ   3 wünscheten E²ᵃ   5 Sonne E²ᵃ   6 freundlichen
E³   7 vermeinete E²ᵃ   12 unterließ E²ᵃ   14 legete E²ᵃ   16 wis=
set E²ᵃ   17 geglaubet E²ᵃ   Mannes E²ᵃ   18 ihm E²ᵃ   19 nit ge=
ringer E²ᵃ   21 Gewonheet E³   24 dort E²ᵃ   Tisch E²ᵃ   34 sey
E²ᵃ   habe E²ᵃ   niemaln E²ᵃ

in Sinn genommen/ euere Hosen zu praetendirn; sondern/
gleich wie ich wol weiß/ daß das Weib nicht aus des
Manns Haubt/ aber wol aus seiner Seiten genommen
worden/ also habe ich gehofft meinen [69] Hertzliebsten werde
solches auch bekand seyn/ und er werde derowegen sich
meines Herkommens erinnern/ und mich nicht/ als wann
ich von seinen Fußsohlen genommen worden wäre/ vor
sein Fuß=Thuch/ sondern vor sein Ehe=Gemahl halten/
vornemblich; wann ich mich auch nicht unterstünde ihme
auf den Kopff zu sitzen/ sondern mich an seiner Seiten
behülffe/ mit demütiger Bitte/ er wolte diese Abendteur-
liche Fechtschul einstellen; Ha ha! sagte er/ das seyn die
rechte Weiber=Griffe/ die Herrschafft zu sich zu reissen ehe
mans gewahr wird; aber es muß zuvor darumb gefochten
seyn/ damit ich wisse/ wer dem anderen künfftig zu gehor-
sammen schuldig/ und damit warffe er sich aus meinen
Armen wie ein anderer Narr/ ich aber sprang aus dem
Bette/ und legte mein Hembt und Schlaffhosen an/ erwischte
den kürtzten aber doch den stärcksten Prügel/ und sagte/
weil ihr mir je zu fechten befehlet/ und dem obsiegenden
Theil die Oberherrlichkeit (an die ich doch keine [70] An-
sprach zu haben begehrt/) über den Uberwundenen zusprecht/
so wäre ich wol närrisch/ wann ich eine Gelegenheit aus
Händen liesse/ etwas zu erhalten/ daran ich sonst nicht
gedencken dörffte; Er hingegen auch nicht faul/ dann nachdem ich also seiner wartete/ und er seine Hosen auch
angelegt/ erdappete er den andern Prügel/ und gedachte
mich beym Kopff zu fassen/ umb mir alsdann den Buckel
fein mit guter Musse abzuraumen/ aber ich war ihm viel
zu geschwind/ dann ehe er sichs versahe/ hatte er eins
am Kopff/ davon er hinaus dürmelte/ wie ein Ochs dem
ein Streich worden; ich raffte die zween Stecken zusammen/
sie zur Thür hinaus zu werffen/ und da ich solche öffnete/

---

1 zu praetendiren E²ª.³ 3 Mannes E²ª Seite E²ª 4 meinem E²ª
7 Fußsohlen were genommen worden E²ª 8 Ehe=Gemahlin E²ª
9 ihm E²ª 10 Seite E²ª 12 Fechtschule E²ª 13 rechten E²ª 14
man es E²ª 15 andern E²ª 16 warff E²ª 17 ander E²ª 18
Hembde E²ª 21 Ansprache E²ª 22 begehret E²ª 26 auch *fehlt* E²ª
27 angeleget E²ª 30 eh E²ª sich dessen E²ª

stunden etliche Officier darvor/ die unserem Handel zu=
gehöret/ und zum Theil durch einen Spalt zugesehen
hatten; diese liesse ich lachen so lang sie mochten/ schlug
die Thür vor ihnen wider zu/ warff meinen Rock umb
mich/ und brachte meinen Tropffen/ meinen Hochzeiter
wolte ich sagen/ mit [71] Wasser aus einem Lavor wider
zu sich selbst/ und da ich ihn zum Tische gesetzt/ und mich
ein wenig angekleidet hatte; liesse ich die Officier vor der
Thür auch zu uns ins Zimmer kommen.

Wie wir einander allerseits angesehen/ mag jeder bey
sich selbst erachten/ ich merckte wol/ daß mein Hochzeiter
diese Officier veranlaßt/ daß sie sich umb diese Zeit vorn
Zimmer einstellen/ und seiner Thorheit Zeugen seyn solten;
dann als sie den Hegel gefoppet/ er würde mir die Hosen
lassen müssen/ hatte er sich gegen ihnen gerühmt/ daß er
einen sonderbahren Vortheil wisse/ welchen er den ersten
Morgen ins Werck setzen/ und mich dadurch so geschmeidig
machen wolte/ daß ich zittern würde/ wann er mich nur
scheel ansehe; aber der gute Mensch hätte es gegen einer
anderen als der Courage probirn mögen; Gegen mir hat
er so viel ausgerichtet/ daß er jedermans Gespött worden/
und ich hätte nicht mit ihm gehauset/ wann mirs nicht
von Höheren befohlen und auferlegt [72] worden wäre;
wie wir aber miteinander gelebet / kan sich jeder leicht
einbilden/ nemblich wie Hund und Katzen. Als er sich
nun anderer Gestalt an mir nicht revangirn, und auch
das Gespött der Leute nicht mehr gedulten konnte/ rappelte
er einsmals alle meine Paarschafft zusammen/ und gieng
mit den dreyen besten Pferdten und einem Knecht zum
Gegentheil.

1 Officirer davor E²ᵃ   unserm E²ᵃ   2 eine Spalte E²ᵃ   3 ließ E²ᵃ
7 Tisch gesetzet E²ᵃ   8 ließ E²ᵃ   Officirer E²ᵃ   12 Officirer veran=
lasset E²ᵃ   17 dadurch E²ᵃ   20 andern E²ᵃ   21 Gespötte E²ᵃ   23
Höheren were befohlen und aufferleget worden E²ᵃ   25 Hunde E²ᵃ
26 revangiren E²ᵃ   27 Gespötte E²ᵃ   29 Pferden E²ᵃ

Das VIII. Capitel.

Courage hält sich in einer Occasion trefflich frisch / haut
einem Soldaten den Kopff ab / bekommt einen Major
gefangen / und erfährt daß ihr Leutenant als ein Meineydiger Uberlauffer gefangen und gehencket worden.

Also wurde ich nun zu einer Halb-Wittib / welcher
Stand viel elender ist / als wann eine gar keinen
Mann hat / etliche argwohneten / ich würde ihm folgen /
und wir hätten unsere Flucht also miteinander angelegt /
da ich aber den Obristen umb Raht und [73] Befelch fragte /
wie ich mich verhalten solte / sagte er / ich möchte bey dem
Regiment verbleiben / so wolte er mich so lang ich mich
ehrlich hielte / wie andere Wittweiber verpflegen lassen /
und damit benahme ich jederman den gedachten Argwohn;
Ich muste mich zimlich schmal behelffen / weil mein Vaarschafft ausgeflogen / und meine stattliche Soldaten-Pferd
fort waren / auf denen ich auch manche stattliche Beut
gemacht; doch liesse ich meine Armut nicht mercken / damit
mir keine Verachtung zuwüchse / meine beyde Knechte / die
Herrn Dienste versahen / hatte ich noch sambt einen Jungen
und noch etlichen Schindmerren oder Pagage Pferden /
davon und von meiner Männer Bagage versilberte ich was
Geld galte / und machte mich wider trefflich beritten; Ich
dorffte zwar als ein Weib auf keine Parthey reiten / aber
unter den Fouragiren fande sich nicht meines gleichen; Ich
wünschte mir offt wider eine Battalia wie vor Wimpfen /
aber was halffs / ich muste der [74] Zeit erwarten / weil
man mir zu Gefallen doch keine Schlacht gehalten / wann
ichs gleich begehrt hätte; damit ich aber gleichwol auch
widerumb zu Geld kommen möchte / dessen es auf dem
Fouragiren selten setzte / liesse ich / (beydes umb solches zu
verdienen und meinen Ausreisser umb seine Untreu zu

---

2 hauet E²ᵃ   5 gehangen E²ᵃ   6 ward E²ᵃ   Halb=Witwe E²ᵃ   7
einer E²ᵃ   8 argwähneten E²ᵃ   14 benahm E²ᵃ   Argwahn E²ᵃ   15
meine Vaarschafft E²ᵃ   16 ausgeflogen] ausgebogen E³   Solda-
ten=Pferde E²ᵃ   17 Beute gemachet E²ᵃ   18 ließ E²ᵃ   20 Herren
E²ᵃ   23 galt E²ᵃ   25 fand E²ᵃ   28 wan gleich ichs begehret E²ᵃ
31 satzte / ließ E²ᵃ   32 Untreue E²ᵃ

44

bezahlen) mich von denen Treffen/ die spendierten/ und also
brachte ich mich durch/ und dingte mir noch einen starcken
Jungen zum Knecht/ der mir muste helffen stehlen wann die
andere beyde musten wachen; das trieb ich so fort/ bis wir
den Braunschweiger über den Mäyn jagten und viel der   5
Seinigen darinn ersäufften/ in welchem Treffen ich mich
unter die Unserige mischte/ und in meines Obristen Gegen=
wart dergestalt erzeigte/ daß er solche Tapfferkeit von
keinem Mannsbild geglaubt hätte; dann ich nahme in der
Caracolle einen Major vom Gegentheil vor seinem Trouppen   10
hinweg/ als er die Charge redoupliren wolte/ und als ihn
einer von den Seinigen zu erret= [75] ten gedachte/ und
mir zu solchem Ende eine Pistol an den Kopff loßbrennete/
daß mir Hut und Federn darvon stobe/ bezahlte ich ihn
dergestalt mit meinem Sebel/ daß er noch etliche Schritte   15
ohne Kopff mit mir ritte/ welches beydes verwunderlich
und abscheulich anzusehen war; Nachdem nun dieselbe
Esquadron getrennet und in die Flucht gewendet worden/
mir auch der Major einen zimlichen Stumpen Goldsorten
sambt einer güldenen Ketten und kostbarlichen Ring vor   20
sein Leben gegeben hatte/ liesse ich meinen Jungen das
Pferd mit ihm verdauschen/ und liefferte ihn den Unserigen
in Sicherheit; begab mich darauf an die zerbrochne Brucken/
allwo es in dem Wasser an ein erbärmlichs Ersauffen/
und auf dem Land an ein grausambs Nidermachen gieng;   25
und alldieweil noch ein jeder bey seinem Trouppen bleiben
muste/ so viel immer möglich/ packte ich eine Gutsche mit
sechs schönen Präunen an/ auf welcher weder Geld noch
lebendige Personen/ aber [76] wol zwo Kisten mit kostbaren
Kleidern und weissen Zeug sich befanden; Ich brachte sie   30
mit meines Knechts oder Jungen Hülff dahin/ wo ich den
Major gelassen hatte/ welcher sich schier zu Tod kränckte/
daß er von einem solchen jungen Weib gefangen worden;
da er aber sahe/ daß so wol in meinen Hosensäcken als

1 spendireten E²ᵃ   4 anderen E²ᵃ   8 erzeigete E²ᵃ   9 nahm E²ᵃ
13 ein E²ᵃ   loßbrante E²ᵃ   14 davon stob E²ᵃ   16 ohn E²ᵃ   19
einem E³   20 göldenen Kette E²ᵃ   Rigg E³   21 ließ E²ᵃ   22 ver=
tauschen E²ᵃ   23 zerbrochene Brücke E²ᵃ   24 erbärmliches E²ᵃ   25
grausames E²ᵃ   27 müglich E²ᵃ   28 Bräunen E²ᵃ   30 weißem E²ᵃ
31 Knechtes E²ᵃ   Hülffe E²ᵃ   32 kränckete E²ᵃ   34 so fehlt E³

in den Halfftern Piſtolen ſtacken die ich ſambt meinem
Carbiner dort wider lude und fertig machte/ auch höretе/
was ich hiebevor bey Wimpffen ausgerichtet/ gab er ſich
wider umb etwas zu frieden/ und ſagte: der Teufel möchtе
5 mit ſo einer Hexen etwas zu ſchaffen haben. Ich gieng
mit meinem Jungen/ (den ich eben ſo feſt als mich und
mein Pferd gemacht hatte) hin/ noch mehr Beuten zu
erſchnappen/ ſande aber den Obriſt=Leutenant von unſerem
Regiment dort unter ſeinem Pferde liegen/ der mich kannte/
10 und umb Hülff anſchriehe; Ich packte ihn auf meines
Jungen Pferd/ und führte ihn zu den Unſerigen in meine
erſt eroberte Gutſche/ [77] allda er meinem gefangnen
Major Geſellſchafft leiſten muſte. Es iſt nicht zu glauben/
wie ich nach dieſer Schlacht ſo wol von meinen Neidern/
15 als meinen Gönnern gelobt wurde/ beyde Theil ſagten/
ich wäre der Teufel ſelber; und eben damals war mein
höchſter Wunſch/ daß ich nur kein Weibsbild wäre; aber
was wars drumb/ es war Null und verhimpelt. Ich
gedachte offt mich vor einen Hermaphroditen auszugeben/
20 ob ich vielleicht dardurch erlangen möchte/ offentlich Hoſen
zu tragen/ und vor einen jungen Kerl zu paſſirn; hergegen
hatte ich aber durch meine unmäſſige Begierden ſo viel
Kerl empfinden laſſen wer ich wäre/ daß ich das Hertz
nicht hatte/ ins Werck zu ſetzen/ was ich gerne gewolt/
25 dann ſo viel Zeugen würden ſonſt ein anders von mir
geſagt und verurſacht haben/ daß es dahin kommen wäre/
daß mich beydes Medici und Hebammen beſchauen müſten;
behalffe mich derowegen wie ich konnte/ und wann man
mir viel verweiſen wolte/ antwor= [78] tet ich/ es wären
30 wol ehe Amazones geweſen/ die ſo Ritterlich als die
Männer gegen ihren Feinden gefochten hätten. Damit ich
nun des Obriſten Gnad erhalten/ und von ihme wider
meine Mißgönſtige beſchützt werden möchte/ praeſentirte
ich ihm neben dem Gefangnen auch meine Kutſche mit

---

2 lud E²ᵃ   4 widerum E²ᵃ   5 Hexe E²ᵃ   8 fand E²ᵃ   9 Pferd E²ᵃ
10 Hülffe E²ᵃ   11 führete E²ᵃ   15 gelobet ward E²ᵃ   Theile E²ᵃ
18 war es darum E²ᵃ   20 vielleich dadurch E²ᵃ   21 zupaſſiren E²ᵃ
24 gern E²ᵃ   26 geſaget E²ᵃ   verurſachet E²ᵃ   28 behalff E²ᵃ   29
antwortete E²ᵃ   30 eh E²ᵃ   32 Gnade E²ᵃ   ihm E²ᵃ   33 Miß-
günſtige E²ᵃ   praeſentirte (übergab) E²ᵃ

sambt den Pferden/ darvor er mir 200. Reichsthaler
verehrete/ welches Geld ich sambt dem/ was ich sonst auf
ein Neues erschnappt/ und sonst verdienet hatte/ ich abermal
in einer Namhafften Stadt verwahrte.

In dem wir nun Mannheim eingenommen und Francken= 5
thal noch belagert hielten/ und also den Meister in der
Pfaltz spielten; sihe/ da schlugen Corduba und der von
Anhalt abermal den Braunschweiger und Mannßfelder bey
Floreack/ in welchem Treffen mein ausgerissener Mann
der Leutenant gefangen/ von den Unserigen erkannt/ und 10
als ein Meineydiger Überläuffer mit seinem allerbesten
Hals an einen Baum [79] geknüpfft worden; Wodurch ich
zwar wider von meinem Mann erlöst/ und zu einer
Wittib ward; Ich bekam aber so ein hauffen Feinde/ die
da sagten: die Strahl=Hex hat den armen Teufel umbs 15
Leben gebracht/ daß ich ihm das Leben gern länger gönnen/
und mich noch ein Weil mit ihm gedulden mögen/ bis er
gleichwol anderwärts ins Gras gebissen/ und einen ehrlichern
Tod genommen/ wann es nur hätte seyn können.

Das IX. Capitel. 20

Courage quittirt den Krieg/ nach dem ihr kein Stern
mehr leuchten will/ und sie fast von jedermann vor einen
Spott gehalten wird.

Also kam es nach und nach dahin/ daß ich mich je
länger je mehr leiden muste/ meine Knechte wurden 25
mir verführt/ weil zu ihnen gesagt wurde/ pfui Teufel wie
möcht ihr Kerl einer solchen [80] Vettel dienen? Ich hoffte
wider einen Mann zu bekommen/ aber ein jeder sagte/
nimb du sie/ ich begehr ihrer nicht; was ehrlich gesinnet
war/ schüttelt den Kopff über mich/ und also thäten auch 30

1 davor E²ª 3 erschnappet E²ª 4 verwahrete E²ª 7 spieleten E²ª
10 Leutenadt E³ 12 Wodurch E²ª 13 erlöset E²ª 14 Witwe E²ª
einen E²ª 15 Strahl=Hexe E²ª 17 eine Weile E²ª 26 verführet
E²ª ward E²ª 27 möget E²ª 29 begere E²ª 30 schüttelte E²ª

bey nahe alle Officier; was aber geringe Leut und schlechte
Potentaten waren/ die dorfften sich nicht bey mir anmelden/
so hätte ich ohne das auch keinen aus denselbigen angesehen;
Ich empfande zwar nicht am Hals wie mein Mann/ was
5 unser Närrisch Fechten ausgerichtet; aber doch hatte ich
länger daran als er am Hencken zu verdauen; Ich wäre
gerne in eine andere Haut geschloffen/ aber beydes die
Gewonheit und meine tägliche Gesellschafften wolten mir
keine [81] Besserung zulassen/ wie dann die allermeinste
10 Leute in Krieg viel eher ärger als frömmer zu werden
pflegen; Ich butzte mich wieder/ und richtete dem einen
und andern allerhand Netz und Strick/ ob ich etwan diesen
oder jenen anseilen und ins Garn bringen möchte/ aber
es halff nichts/ ich war schon allbereit viel zu tief im
15 Geschrey; man kandte die Courage schon allerdings bey
der gantzen Armee/ und wo ich bey den Regimentern
vorüber ritte/ wurde mir meine Ehre durch viel tausend
Stimmen offentlich ausgeruffen/ also/ daß ich mich schier
wie ein Nacht=Eule bey Tage nicht mehr dorffte sehen
20 lassen; Im Marchiren äuserten mich ehrliche Weiber; das
Lumpenge= [82] sindel beym Troß schurrigelte mich sonst;
und was etwan vor ledige Officier wegen ihrer Nachtweid
mich gern geschützt hätten/ musten bey den Regimentern
bleiben/ bey welchen mir aber durch ihr schändlichs
25 Geschrey mit der allerschärffsten Laugen aufgegossen ward;
Also daß ich wol sahe/ daß meine Sach so in die Länge
kein Gut mehr thun werde; etliche Officier hatte ich noch
zu Freunden/ die aber nicht Meinen/ sondern Ihren
Nutzen suchten; Theils suchten ihre Wollüste/ Theils mein
30 Geld/ andere meine schöne Pferd; Sie alle aber machten
mir Ungelegenheit mit Schmarotzen/ und war doch keiner
der mich zu heurahten begehrte; entweder daß sie sich mei=

---

1 Officier E²ᵃ Leute E²ᵃ 3 ohn E²ᵃ 4 empfand E²ᵃ 6 Hengen E²ᵃ
7 gern E²ᵃ andre E²ᵃ 9 allermeisten E²ᵃ 10 im E²ᵃ 12 Netze
E²ᵃ Stricke E²ᵃ 17 ward E²ᵃ 19 eine E²ᵃ Tag E²ᵃ 22
Officier E²ᵃ Nachtweide E²ᵃ 24 schändliches E²ᵃ 25 Lauge
E²ᵃ 26 Sache E²ᵃ 27 Officier E²ᵃ 29 suchten E²ᵃ suchten
E²ᵃ 30 Pferde E²ᵃ 32 begehrete E²ᵃ

[83] ner ſchämten/ oder daß ſie mir eine unglückliche
Eigenſchafft zuſchrieben/ die alle meinen Männern ſchädlich
wäre/ oder aber daß ſie ſich ſonſt/ ich weiß nicht warumb/
vor mir förchteten.

Derowegen beſchloſſe ich mit mir ſelbſten/ nicht nur   5
diß Regiment/ ſondern auch die Armada/ ja den gantzen
Krieg zu quittirn/ und konnte es auch umb ſo viel deſto
leichter ins Werck ſetzen/ weil die hohe Officier meiner
vorlängſt gern los geweſen wären; Ja ich kan mich auch
nicht überreden laſſen zu glauben/ daß ſich unter andern   10
ehrlichen Leuten viel gefunden haben/ die umb meine
Hinfahrt viel geweinet. Es ſeyen dann etliche wenige
junge Schnapper ledigs Stands unter |84] den mittel-
mäſſigen Officiern geweſt/ denen ich zu Zeiten etwan ein
paar Schlaffhoſen gewaſchen; der Obriſte hatte den Ruhm   15
nicht gern/ daß ſeine ſchöne Gutſche durch die Courage
vom Feind erobert/ und ihm verehrt worden ſeyn ſolte!
Daß ich den verwundeten Obriſt-Leutenant aus der
Battalia und Tods-Gefahr errettet und zu den unſerigen
geführt/ darvon ſchriebe er ihm ſo wenig Ehr zu/ daß   20
er mir meiner Mühe nicht allein mit Potz-Velten danckte/
ſondern auch/ wann er mich ſahe/ mit Grißgrammenden
Minen erröthet/ und mir/ wie leicht zu gedencken/ lauter
Glück und Heil an den Hals wünſchte/ das Frauenzimmer
oder die Officiers-Weiber [85] haſſeten mich/ weil ich weit   25
ſchöner war/ als eine unter dem gantzen Regiment/ zumalen
theils ihren Männern auch beſſer gefiele/ und beydes hohe
und nidere Soldaten waren mir feind/ umb daß ich/
Trutz einem unter ihnen allen/ das Hertz hatte/ etwas zu
unterſtehen/ und ins Werck zu ſetzen/ das die gröſte   30
Tapferkeit und verwegneſte Hazarde erfordert/ und darüber
ſonſt manchen das Kalte-Wehe angeſtoſſen hätte.

Gleich wie ich nun leicht merckte/ daß ich viel mehr
Feinde als Freunde hatte/ alſo konnte ich mir auch wol

---

1 ſchämeten E²ᵃ   2 zuſchreiben E³   5 beſchloß E²ᵃ   7 zuquitiren
E²ᵃ   8 Officirer E²ᵃ   9 gerne E²ᵃ   12 ſeyn E²ᵃ   13 ledigen Standes E²ᵃ   14 Officirern geweſen E²ᵃ   17 ihm~ ſolte] ihm ſolte verehrt ſeyn worden E²ᵃ   19 Todes-Gefahr E²ᵃ   20 geführet/davon
ſchrieb E²ᵃ   Ehre E²ᵃ   23 erröthete E²ᵃ   24 wünſchete E²ᵃ   25
Officirers-Weiber E²ᵃ   27 gefiel E²ᵃ   31 erfoderte E²ᵃ

einbilden / es würde ein jedwedere von meiner widerwertigen
Gattung gar nicht unterlaffen / mir auf ihre fonder= [86]
bare Manier eins anzumachen / wann fich nur die Gelegenheit darzu ereignet; O Courage / fagte ich zu mir
5 felbft / wie wilft du fo vielen unterfchiedlichen Feinden
entgehen können? Von denen vielleicht ein jeder feinen
befonderen Anfchlag auf dich hat; wann du fonft nichts
hätteft / als deine fchöne Pferde / deine fchöne Kleider /
dein fchönes Gewehr und den Glauben / daß du viel Geld
10 bey dir habeft / fo wären es Feinde genug / einige Kerl
anzuhetzen / dich heimlich hinzurichten / wie? wann dich
dergleichen Kerl ermordeten / oder in einer Occafion
nidermachten? was würde wol für ein Haan darnach
krähen? wer würde deinen Tod rächen? was? folteft du
15 auch wol [87] deinen eignen Knechten trauen dörffen?
mit dergleichen Sorgen quälte ich mich felbft / und fragte
mich auch felbft / was Rahts? weil ich fonft niemand
hatte / ders treulich mit mir meinete; und eben deswegen
mufte ich mir auch felbft folgen.
20 Demnach fprach ich den Obriften umb einen Paß an
in die nechfte Reichs=Stadt / die mir eben an der Hand
ftunde und wolgelegen war / mich von dem Kriegs=Volck
zu rettirirn, den erlangte ich nicht allein ohne groffe Mühe /
fondern noch / an Statt eines Abfchieds / einen Urkund /
25 daß ich einem Haubtmann von Regiment / (dann von meinem
letzten Mann begehrte ich keinen Ruhm zu haben /) ehrlich
ver= [88] heurahtet gewefen / und als ich folchen vorm
Feind verlohren / mich eine Zeitlang bey dem Regiment
aufgehalten / und in folcher wehrenden Zeit alfo wol /
30 fromm und ehrlich gehalten / wie einer rechtfchaffnen Ehr-
und Tugendliebenden Damen gebühre und wol anftändig
feye / mich derowegen jedermänniglichen umb folchen meines
untadelhafften Tugendlichen Wandels willen beftens recom-
mendirent; und folche fette Lügen wurden mit eigenhändiger
35 Subfcription und beygedrucktem Sigill in befter Form

---

1 eine E²ᵃ   4 ereigne E²ᵃ   7 befondern E²ᵃ   10 einige] einzige E²ᵃ
15 eigenen E²ᵃ   16 quälete E²ᵃ   mich felbft/*fehlt* E²ᵃ   18 der es
E²ᵃ   22 ftund E²ᵃ   23 zuretiriren E²ᵃ   ohn E²ᵃ   24 Abfchiedes
E²ᵃ   eine E²ᵃ   25 Regiment] dem Regiment   27 vor dem E²ᵃ
31 Dame E²ᵃ   32 fey E²ᵃ   33 recommendirende E²ᵃ

50

bekräfftigt; Solches lasse sich aber niemand wundern/ dann
je schlimmer sich einer hält/ und je lieber man eines gerne
los wäre/ je trefflicher wird der Ab= [89] schied seyn/ den
man einem solchen mit auf den Weg gibt; sonderlich wann
derselbe zugleich sein Lohn seyn muß; Einen Knecht und   5
ein Pferd liesse ich dem Obristen unter seiner Compagnie/
welcher Trutz einem Officier mundirt war/ umb meine
Danckbarkeit darmit zu bezeugen/ hingegen brachte ich einen
Knecht/ einen Jungen/ eine Magd/ sechs schöne Pferd/
(darunter das eine 100. Ducaten wehrt gewesen/) sambt   10
einem wolgespickten Wagen darvon; und kan ich bey meinem
grossen Gewissen/ (etliche nennen es ein weites Gewissen/)
nicht sagen/ mit welcher Faust ich alle diese Sachen erobert
und zuwegen gebracht habe.

   [90] Da ich nun mich und das Meinige in bemelde   15
Stadt in Sicherheit gebracht hatte/ versilberte ich meine
Pferd/ und gab sonst alles hinweg/ was Geld golte/ und
ich nicht gar nöthig brauchte; mein Gesind schaffte ich auch
miteinander ab/ einen geringen Costen zu haben/ gleich
wie mirs aber zu Wien war gangen/ also gieng mirs   20
auch hier/ ich konnte abermal des Nahmens Courage nicht
los werden/ wiewol ich ihn unter allen meinen Sachen
am allerwolfeilsten hinweggeben hätte; dann meine alte/
oder vielmehr die junge Kunden von der Armee ritten mir
zu Gefallen in die Stadt/ und fragten mir mit solchem   25
Nahmen nach/ welchen auch die Kinder [91] auf der Gassen
ehender als das Vatter unser lerneten/ und eben darumb
wiese ich meinen Galanen die Feigen; Als aber hingegen
diese den Stadt=Leuten erzehlten/ was ich vor ein Tauß=Es
wäre/ so erwiese ich hinwiederumb denselben ein anders mit 30
Brief und Siegel/ und beredet sie/ die Officier geben keiner
anderen Ursachen halber solche lose Stück von mir aus/
als weil ich nicht beschaffen seyn wolte/ wie sie mich gerne
hätten; und dergestalt bisse ich mich zimlich heraus/ und

1 bekräfftiget E²ᵃ   2 gern E²ᵃ   4 gibet E²ᵃ   6 ließ E²ᵃ   7 Offici=
rer E²ᵃ   8 damit E²ᵃ   9 Pferde E²ᵃ   11 davon E²ᵃ   13 Sache E²ᵃ
14 zuwege E²ᵃ   15 bemelte E²ᵃ   17 Pferde E²ᵃ   galt E²ᵃ   18 Ge=
sinde E²ᵃ   20 ging es mir E²ᵃ   23 hinweg gegeben E²ᵃ   26 Gasse
E²ᵃ   28 wieß E²ᵃ   29 erzehleten E²ᵃ   31 beredete E²ᵃ   Officirer
E²ᵃ   32 andern Ursache E²   Stücke E²ᵃ   33 gern E²ᵃ

brachte vermittelſt meiner guten Schrifftlichen Zeugnis
zuwegen/ daß mich die Stadt/ biß ich meine Gelegenheit
anders machen konnte/ umb ein geringes Schirm=Gelt in
ihren Schutz [92] nahm; allwo ich mich dann wider meinen
Willen gar erbarlich/ fromm/ ſtill und eingezogen hielte/
und meiner Schönheit/ die je länger je mehr zunahm/
aufs beſte pflegte/ der Hoffnung/ mit der Zeit wiederumb
einen wackern Mann zu bekommen.

[93]   Das X. Capitel.

Courage erfährt/ wer ihre Eltern geweſen/ und bekommt
                wieder einen andern Mann.

ABer ich hätte lang harren müſſen/ biß mir etwas rechts
    angebiſſen/ dann die gute Geſchlechter verblieben bey
ihres gleichen/ und was ſonſt reich war/ konte auch ſonſt
reiche und ſchöne/ und vornemlich (welches man damahls
noch in etwas beobachtete) auch ehrliche Jungfrauen zu
Weibern haben/ alſo/ daß ſie nicht bedorfften/ ſich an
eine verlaſſene Soldaten=Hur zu hencken; hingegen waren
etliche/ die entweder Banquerot gemacht/ oder bald zu
machen gedachten/ die wolten zwar mein Gelt/ ich wolte
aber darum ſie nicht; die Handwerckſleut waren mir ohne
das zu ſchlecht/ und damit blieb ich ein gantz Jahr ſitzen/
welches mir länger zugedulten gar ſchwer/ und gantz wider
die Natur war/ ſintemahl ich von der guten Sache die ich
genoſſe/ gantz küzelig wurde/ dann ich brauchte mein Gelt/
ſo ich hie und dort in den groſſen Städten hatte/ den
Kauff= und Wechſelher= [94] ren zuzeiten beyzuſchieſſen/
darauß ich ſo ein ehrlich Gewinnen erhielte/ daß ich
ziemliche gute Tag davon haben konte/ und nichts von der
Haubtſumma verzehren dorffte; Weilen es mir dann an
einem andern Ort mangelte/ und meine ſchwache Beine

---

2 zuwege E²ᵃ   5 hielt E²ᵃ   7 pflegete E²ᵃ   8 wackeren (reichen) E²ᵃ
10 erfähret E²ᵃ   12 rechtes E²ᵃ   16 Jungfern E²ᵃ   18 Soldaten=
Hure zuhengen E²ᵃ   19 gemachet E²ᵃ   21 Handwerckſleute E²ᵃ
ohn E²ᵃ   25 ward E²ᵃ   26 hier E²ᵃ   28 ehrlichen Gewinn E³ erhielt
E²ᵃ   29 Tage E²ᵃ   30 dörffte E³

dieſe gute Sache nicht mehr ertragen könten oder wolten:
Machte ich mein Gelt per Wexel auf Prag/ mich ſelbſt
aber mit etlichen Kauffherren hernach/ und ſuchte Zuflucht
bey meiner Koſtfrauen zu Bragodiz/ ob mir vielleicht
alldorten ein beſſer Glück anſtehen möchte. Dieſelbe fande   5
ich gar arm/ weder ich ſie verlaſſen/ dann der Krieg
hatte ſie nit allein ſehr verderbt/ ſondern ſie hatte auch
allbereit vor dem Krieg mit mir/ und ich nit mit ihr
gezehret; Sie freuete ſich meiner Ankunfft gar ſehr/
vornemlich als ſie ſahe/ daß ich nicht mit leerer Hand   10
angeſtochen kam; ihr erſtes willkommheiſſen aber/ war
doch lauter weinen; und indem ſie mich küſſte/ nennete ſie
mich zugleich ein unglückſeeliges Fräulin/ welches ſeinem
Herkommen Gemäß/ ſchwerlich würde ſein Leben und Stand
führen mögen; Mit fernerem Anhang/ [95] daß ſie mir   15
fürderhin nit mehr wie vor dieſem zu helffen/ zu rathen
und vorzuſtehen wiſſe/ weil meine beſte Freund und Ver-
wandten entweder verjagt oder gar tod wären; und über
das/ ſagte ſie/ würde ich mich ſchwerlich vor den Käyſerl.
dörffen ſehen laſſen/ wann ſie meinen Urſprung wiſſen   20
wolten/ und damit heulete ſie immer forth/ alſo/ daß ich
mich in ihre Rede nicht richten noch begreiffen konte/ ob
es gehauen oder geſtochen: gebrand oder gebort wäre; da
ich ſie aber mit eſſen und trincken (dann die gute Tröpffin
muſte den jämmerlichen Schmalhanſen in ihrem Quartier   25
herbergen) widerum gelabt und alſo zu recht gebracht/ daß
ſie ſchier ein Tummel hatte; erzehlte ſie mir mein Herkommen gar offenhertzig/ und ſagte/ daß mein natürlicher
Vatter ein Graff: und vor wenig Jahren der gewaltigſte
Herr im gantzen Königreich geweſen: Nunmehr aber wegen   30
ſeiner Rebellion wider den Käyſer des Lands vertrieben
worden: Und wie die Zeitungen mitgebracht/ jetzunder an
der türckiſchen Porten ſey; alda er auch ſo gar ſein Chriſt-

4 Koſtfrau E²ᵃ   vielleich E³   5 fand E²ᵃ   7 ſehr *fehlt* E²ᵃ   10 nit
E²ᵃ   11 Willkommenheiſſen E²ᵃ   12 küſſete/nante E²ᵃ   13 zugleich *fehlt* E²ᵃ Fräulein E³   15 fernerm E²ᵃ   16 nicht E²ᵃ   17 beſten E³   Freunde E²ᵃ   19 den] dem E¹ denen E²ᵃ   23
geboret E²ᵃ   25 Schmalhans E²ᵃ   26 gelabet E²ᵃ   27 einen E²ᵃ erzehlete E²ᵃ   31 Landes E²ᵃ   32 Zeitung E²ᵃ   33 Porte E²ᵃ ſeine E²ᵃ

liche Re= [96] ligion in die Türckische verändert haben solle;
Meine Mutter sagte sie/ sey zwar von ehrlichen Geschlecht
gebohren: aber eben so arm als schön gewesen; Sie hätte
sich bey des gedachten Graffen Gemahlin vor eine Staads
Jungfer aufgehalten/ und indem sie der Gräffin aufgewartet/
wäre der Graff selbst ihr leibeigener worden/ und hätte
solche Dienste getrieben/ biß er sie auf einen Adelichen
Sitz verschafft/ da sie mit mir niderkommen; und weilen
eben damahls sie/ meine Kostfrau/ auch einen jungen Sohn
entwöhnet/ dem sie mit desselbigen Schlosses Edelmann
erzeugt/ hätte sie meine Seugamme werden: und mich
folgends zu Bragodiz Adelich auferziehen müssen/ worzu
dann beydes Vatter und Mutter genugsame Mittel und
Unterhaltung hergeben; Ihr seyt zwar liebes Fräulin/ sagte
sie ferner/ einem tapfferen Edelmann von euerem Vatter
versprochen worden/ derselbe ist aber bey Eroberung Pilsen
gefangen/ und als ein Mäineydiger neben andern mehr
[97] durch die Käyserlichen aufgehänckt worden;

Also erfuhr ich/ was ich vor längst zu wissen gewünscht/
und wünschte doch nunmehr/ daß ichs niemahl erfahren
hätte; sintemahl ich so schlechten Nutzen von meiner hohen
Geburt zu hoffen; und weil ich keinen andern und bessern
Rath wuste/ so machte ich einen Accord mit meiner Säug-
amm/ daß sie hinfort meine Mutter/ und ich ihre Tochter
seyn solte; sie war viel schlauer als ich/ derowegen zog ich
auch auf ihrem Rath mit ihr von Bragodiz auf Prag;
nicht allein zwar/ daß wir den Bekandten aus den Augen
kämen/ sondern zusehen/ ob uns vielleicht alldorten ein
anders Glück anscheinen möchte; Im übrigen so waren wir
recht vor einander; Nicht/ daß sie hätte Cupplen und ich
Huren sollen/ sondern weil sie eine Ernährerin/ ich aber
eine getreue Person bedorffte/ (gleich wie diese eine gewesen)
deren ich beydes Ehr und Gut vertrauen konnte; Ich hatte
ohne Kleyder und Geschmuck bey 3000. Reichs= [98] thaler
bahr Gelt beyeinander/ und dannenhero damahls keine
Ursach/ durch schändlichen Gewinn meine Nahrung zu

2 ehrlichem E²ª   8 verschaffet E²ª   11 erzeuget E²ª   13 gnugsame
E²ª   14 Fräulein E³   15 tapffern E²ª   eurem E²ª.³   18 auffge=
hängt E²ª   19 gewünschet E²ª   23 Säugamme E²ª   29 so *fehlt* E²ª
30 Cuppeln E³   33 Ehre E²ª   36 Ursache E²ª

54

suchen: Meine neue Mutter kleidete ich wie eine erbare
alte Matron/ hielte sie selbst in grossen Ehren/ und erzeigte
ihr vor den Leuten allen Gehorsam; wir gaben uns vor
Leuthe aus/ die auf der Teutschen Gräntz durch den Krieg
vertrieben worden wären; suchten unseren Gewinn mit   5
nähen/ auch Gold/ Silber und Seydensticken/ und hielten
uns im übrigen gar still und eingezogen/ meine Batzen
genau zusammen haltend/ weil man solche zu verthun
pflegt/ ehe mans vermeynt/ und deren keine andere kan
gewinnen/ wann man gern wolte.   10

Nun diß wäre ein feines Leben gewest/ das wir führten;
Ja gleichsam ein Clösterliches/ wann uns nur die Be=
ständigkeit nicht abgangen wäre; Ich bekam bald Buhler:
etliche suchten mich wie das Frauenzimmer im Bordell/
und andere Tropffen/ die mir meine Ehre nit zu bezahlen   15
getrauten/ sagten mir viel vom heurathen; beyde Theil aber
wolten mich bereden/ sie [99] würden durch die grausame
Liebe/ die sie zu mir trügen/ zu ihren Begierden angesparet;
Ich hätte aber keinem geglaubt/ wann ich selbst ein keusche
Ader in mir gehabt/ es gieng halt nach dem alten Sprich=   20
wort/ gleich und gleich gesell sich gern/ dann gleich wie
man sagt/ das Stroh in den Schuhen/ ein Spindel im
Sack/ und eine Hur im Haus läst sich nicht verbergen/
also würde ich auch gleich bekand/ und wegen meiner
Schönheit überal berühmt/ dannenhero bekamen wir viel   25
zu stricken/ und unter anderem einem Haubtmann ein
Wehrgehenck/ welcher vorgabe/ daß er vor Liebe in den
letzten Zügen lege; Hingegen wuste ich ihm von der Keusch=
heit so ein Hauffen aufzuschneiden/ daß er sich stellte/ als
wolte er gar verzweiffeln/ dann ich ermasse die Beschaffen=   30

2 hielt E²ᵃ   erzeigte E²ᵃ   3 dem E¹   geben E¹   4 Gräntze E²ᵃ
5 unsern E²ᵃ   8 haltende E²ᵃ   9 pfleget/eh man es vermeynet E²ᵃ
11 feines~ Clösterliches/] feines (ja gleichsam Clösterl.) Leben ge=
wesen/das mir führeten: E²ᵃ   13 nit E²ᵃ   16 getraueten E²ᵃ   hey=
rathen E³   Theile E²ᵃ   18 angesporet E²ᵃ·³   19 geglaubet E²ᵃ   eine
E²ᵃ   20 halt] aber E²ᵃ   21 gesellet E²ᵃ   22 saget E²ᵃ   dem E¹
denen E²ᵃ   eine E²ᵃ   23 Hure E²ᵃ   nit E²ᵃ   24 ward auch ich E²ᵃ
26 anderen E²ᵃ   27 Wehrgehenge E²ᵃ   welche E¹·³   vorgebe E¹
vorgab E²ᵃ   29 stellete E²ᵃ   30 ermaß E²ᵃ

heit und das Vermögen meiner Kunden nach der Regul
meines Wirth/ zum guldenen Löwen zu N. dieser sagte/
wann mir ein Gast kommt/ und gar zu unmässig viel
höflicher Complimenten macht/ so ist ein gewisse Anzeigung/
daß er entweder nicht viel zum besten: oder sonst [100]
nicht im Sinn hat viel zu vergeben/ kommt aber einer
mit Trutzen/ und nimmt die Einkehr bey mir gleichsam
mit bochen und einer herrischen Bottmässigkeit/ so gedencke
ich/ holla/ diesem Kerl ist der Beutel geschwollen/ dem
must du schrepffen/ also tractire ich die Höffliche mit
Gegenhöfflichkeit/ damit sie mich und meine Herberg
anderwerts loben/ die Schnarcher aber mit allem das sie
begehren/ damit ich Ursach habe ihren Beutel rechtschaffen
zu actioniren; Indem ich nun diesem meinem Haubtmann
hielte/ wie dieser Wirth seine höfliche Gäst/ als hielte er
mich hingegen/ wo nicht gar vor ein halben Engel/ jedoch
wenigst vor ein Muster und Ebenbild der Keuschheit: Ja
schier vor die Frömmkeit selbsten; In Summa/ er kam so
weit daß er von der Verehligung mit mir anfieng zu
schwetzen/ und liese auch nicht nach/ biß er das Jawort
erhielte: die Heuraths-Puncten/ waren diese/ daß ich ihm
1000. Reichsthaler Bargelt zubringen/ er aber hingegen
mich in Teutschland zu seinem Heimath um dieselbige
versichern solte/ damit/ wann er vor mir ohne Erben
sterben [101] solte/ ich deren wider habhafft werden könte;
die übrige 2000. Reichsthaler die ich noch hätte/ solten
an ein gewiß Ort auf Zinß gelegt; und in stehender Ehe
die Zinß von meinem Haubtmann genossen werden/ das
Capital aber ohnverändert bleiben/ biß wir Erben hätten/
auch solte ich macht haben/ wann ich ohne Erben sterben
solte/ mein gantz Vermögen/ darunter auch die 1000.
Reichsthaler verstanden/ die ich ihm zugebracht/ hin zuver-

---

1 Vermügen E²ᵃ 2 Wirth E¹   göldenen E²ᵃ 4 machet E²ᵃ ist
es E²ᵃ 6 nit E²ᵃ vergehen E¹ 11 Herberge E²ᵃ 13 Ursache E²ᵃ
14 diesen meinen E²ᵃ 15 Gäste E²ᵃ hielt E²ᵃ 16 einen E²ᵃ 18
Frömmigkeit E²ᵃ 19 Vereheligung E²ᵃ 20 ließ E²ᵃ nit E²ᵃ
21 erhielt E²ᵃ 22 baar Gelt E²ᵃ Bargelt E³ 23 seiner E²ᵃ 24
ohn E²ᵃ 26 hatte E²ᵃ 27 Zinse geleget E²ᵃ 28 Zinse E²ᵃ 29 un-
verändert E²ᵃ 30 ohn E²ᵃ 32 ich *fehlt* E²ᵃ

56

testiren/ wohin ich wolte/ etc. Demnach wurde die Hochzeit gehalten/ und als wir vermeynten zu Prag beyeinander/ so lang der Krieg währete/ in der Guarnison gleich wie im Frieden/ in Ruhe zu leben/ sihe/ da kam Ordre/ daß wir nach Hollstein in den Dennemärck. Krieg marchirn müsten.   5

Das XI. Capitel.
Nach dem Courage anfähet sich from zu halten/ wird sie wieder unversehens zu einer Wittib.

JCh rüstete mich trefflich ins Feld/ weil ich schon besser/ als mein Haubtmann/ wuste/ was darzu gehörete; und   10 in dem ich mich ängstigte/ daß ich [102] wider dahin muste/ wo man die Courage kennete/ erzehlte ich meinem Mann mein gantzes geführtes Leben/ biß auf die Hurenstücke/ die ich hie und da begangen/ und was sich mit mir und dem Rittmeister zugetragen; vom Namen Courage überredet   15 ich ihn/ daß er mir wegen meiner Tapfferkeit zugewachsen wäre/ wie dann sonst auch jederman von mir glaubte; mit dieser Erzehlung kam ich den jenigen vor/ die mir sonst etwan bey ihm einen bösen Rauch gemacht/ wann sie ihm vielleicht solches und noch mehr darzu/ ja mehr als mir   20 lieb gewesen/ erzehlet hätten; und gleich wie er mir damahl schwerlich glaubte/ wie ich mich in offenen Schlachten gegen dem Feind gehalten/ biß es folgends andere Leut bey der Armee bezeugten; also glaubte er nachgehends auch andern Leuten nicht/ wann sie ihn von meinen schlimmen Stücken   25 aufschnitten/ weil ich solche läugnete; sonst war er in allen seinen Handlungen sehr bedächtig und vernünfftig/ ansehenlich von Person und einer von den behertzten; Also daß ich mich selbst offt verwunderte/ warum er [103] mich genommen/ da ihm doch billicher etwas ehrliches gebührt   30 hätte.

1 ward E²ᵃ   2 vermeyneten E²ᵃ   4 Friede E²ᵃ   5 Dennenmärck E³   marchiren E²ᵃ   machiren musten E³   8 Wittwe E²ᵃ   12 kante/ erzehlete E²ᵃ   14 hier E²ᵃ   15 überredete E²ᵃ   18 dem E¹·²ᵃ·³   19 gemachet E²ᵃ   23 Leute E²ᵃ   24 bezeugeten E²ᵃ   25 ihm E³   vor E¹   30 gebühret E²ᵃ

Meine Mutter nahm ich mit mir vor eine Haushalterin und Köchin/ weil sie nit zu ruck bleiben wolt; Ich versahe unseren Bagage Wagen/ mit allem dem/ was man ersinnen hätte mögen/ das uns im Feld solt nötig gewesen seyn/ und machte eine solche Anstalt unter dem Gesind/ daß weder mein Mann selbst drum sorgen: noch einen Hofmeister darzu bedorffte/ mich selbst aber mundirte ich wieder wie vor diesem/ mit Pferd/ Gewehr/ Sattel und Zeug/ und also staffirt kamen wir bey den Häussern gleichen zu der Tillischen Armee/ alwo ich bald erkant und von den mehristen Spottvögeln zusammen geschrieen wurde; lustig ihr Brüder/ wir haben ein gut Omen künfftige Schlacht zu gewinnen! Warum? darum/ die Courage ist wieder bey uns ankommen; und zwar diese Lappen redeten nicht übel von der Sach/ dann das Volck mit dem ich kahm/ war ein Succurs von drey Regimentern zu Pferd/ und zweyen zu Fuß/ welches nicht zu ver= [104] achten/ sondern der Armada Courage genug mitgebracht/ wann ich gleich nicht dabey gewesen wäre.

Meines Behalts dem zweyten Tag nach dieser glück= lichen conjunction gerieten die unserige dem König von Dennemarck bey Lutter in die Haar/ alwo ich fürwahr nicht bey der Bagage bleiben mochte/ sondern als des Feinds erste Hitze verloschen/ und die Unserige das Treffen wieder tapffer erneuert: mich mitten ins Geträng mischte/ wo es am allerdicksten war; Ich mochte keine geringe Kerl gefangen nehmen/ sondern wolte meinem Mann gleich in der erste weissen/ daß mein Zunahmen an mir nicht übel angelegt wäre/ noch er sich dessen zu schämen hätte; Machte derowegen meinen edlen Hengst/ der seines gleichen in Prag nicht gehabt/ mit dem Sebel Platz/ biß ich einen Rittmeister von vornehmen Dänischen Geschlecht beym Kopff kriegte/ und aus dem Gedräng zu meinem Bagage= Wagen brachte/ ich und mein Pferd bekamen zwar starcke Püff: wir liesen aber keinen Tropffen Blut auf [105] der

2 nicht zurück E²ᵃ   wolte E²ᵃ   3 unsern E²ᵃ   man hätte ersinnen E²ᵃ   4 solte E²ᵃ   5 Gesinde E²ᵃ   6 darum E²ᵃ   9 bey ~ gleichen *fehlt* E²ᵃ   11 meisten E²ᵃ   ward E²ᵃ   15 Sache E²ᵃ   18 wan= gleich ich E²ᵃ   22 Haare E²ᵃ   24 Feindes E²ᵃ   25 mischete E²ᵃ   28 Zuname E²ᵃ   31 nit E²ᵃ   32 vom E²ᵃ   35 Püffe E²ᵃ

Wahlstatt/ sondern trugen nur etliche Mähler und Beulen
darvon/ weilen ich dann sahe/ daß es so glücklich abgieng/
machte ich mein Gewehr wider fertig/ jagte hin/ und
holete noch einen Quartiermeister sammt einem gemeinen
Reuter welche nicht ehe gewahr wurden/ daß ich ein   5
Weibsbild war/ als biß ich sie zu obengedachten Rittmeister
und meinen Leuten brachte/ ich besuchte keinen von ihnen/
weil jeder selbst sein Gelt und Geltswerth heraus gab/
was er hatte/ vornemlich aber liese ich den Rittmeister fast
höfflich tractirn und nit anrühren/ viel weniger gar   10
ausziehen; aber als ich mich mit Fleiß ein wenig beyseits
machte/ verdauschten meine Knecht mit den andern beyden
ihre Kleider/ weil sie trefflich wohl mit Köllern mondirt waren;
Ich hätte es zum dritten mahl gewagt/ und fort geschmidet/
dieweil das Eisen weich gewesen/ und die Schlacht gewähret/ 15
so mochte ich aber meinem guten Pferd nicht zu viel zu-
muthen; Indessen bekam mein Mann auch etwas wenigs
an Beuthen von denen/ die sich aufs Schloß Lutter retirirt:
[106] und ewiglich auf Gnad und Ungnad ergeben hatten;
Also/ daß wir beyde in und nach dieser Schlacht in allem   20
und allem auf tausend Gulden werth/ vom Feind erobert/
welches wir gleich nach dem Treffen zugemacht/ und ohnverweilt per Wechsel nacher Prag zu meinen alldortigen
2000. Reichsthalern überschafft/ weil wir dessen im Feld
nicht bedörfftig/ und täglich hofften noch mehr Beuten zu   25
machen.

    Ich und mein Mann bekamen einander je länger je
lieber/ und schätzte sich als das eine glückseelig/ weil es
das andere zum Ehegemahl hatte/ und wann wir uns
nit beyde geschämt hätten/ so glaub ich/ ich wäre Tag   30
Nacht in den Lauffgräben auf der Wacht und in allen

1 Beuden E¹   2 davon E²ᵃ   4 holet E³   5 eh E²ᵃ   8 Geldeswerth
E²ᵃ   9 ließ E²ᵃ   10 tractiren E²ᵃ·³   nicht E²ᵃ   nie E³   12 ver-
tauschten E²ᵃ   Knechte E²ᵃ   13 mit fehlt E¹   mundiret E²ᵃ   14
gewaget E²ᵃ   16 zu] so E³   18 retiriret E²ᵃ   retirirt E³   19 Gnade
E²ᵃ   Ungnade E²ᵃ   21 allem] allein E²ᵃ   22 wir] mir E³   zuge-
machet E²ᵃ   unverweilt E²ᵃ   24 überschafte E²ᵃ   25 bedörffig E²ᵃ
29 Ehe gemacht E¹·³   zu der Ehe genommen E²ᵃ   uns beyde nicht
E²ᵃ   30 glaube E²ᵃ

occaſionen niemahl von ſeiner Seiten kommen; wir ver=
machten einander alles unſer Vermögen/ alſo/ daß das
letzt=lebende (wir bekämen gleich Erben oder nicht) das
Verſtorbene erben: Meine Säugame oder Mutter aber/
gleichwohl auch ernehren ſolte/ ſo lang ſie lebte/ als welche
uns groſſen Fleiß und Treu bezeugte; Solche Vermächtnuß
hinderlägten wir/ [107] weil wirs in Duplo ausgefertigt/
eine zu Prag hinter dem Senat und die ander in meines
Manns Heimath hin / Hochteutſchland / ſo damahls noch
in ſeinem beſten Flor ſtunde/ und von dem Kriegsweſen=
das geringſte nicht erlitten

Nach dieſem lutteriſchem Treffen/ nahmen wir Stein=
bruck/ Verden / Langenwedel/ Rotenburg/ Ottersberg und
Hoya ein/ in welchem letzt=genannten Schloß Hoya/ mein
Mann mit etlichen Commandirten Völckern ohne Bagage
muſte liegen verbleiben; Gleichwie mich aber ſonſt nirgends
keine Geſahr von meinem Mann behalten konte/ alſo
wolte ich ihn auch auf dieſem Schloß nit allein laſſen/
aus Furcht/ die Läuſe möchten mir ihn freſſen/ weil keine
Weibsbilder da waren/ ſo die Soldatesca geſäubert hätte;
unſere Bagage aber/ verblieb bey dem Regiment/ welches
hingieng die Winter=Quartier zugenieſſen/ bey welcher ich
auch verbleiben/ und ſolchen Genuß hätte einziehen ſollen.

So bald nun ſolches bey angehendem Winter geſchehen/
und Tilly dergeſtalt ſei= [108] ne Völcker zertheilet/ ſihe
da kam der König in Dennemarck mit einer Armee/ und
wolte im Winter wider gewinnen/ was er im Sommer
verlohren; er ſtellte ſich Verden einzunehmen/ weil ihm
aber die Nuß zu hart zu beiſſen war/ lieſſe er ſelbige Stadt
liegen/ und ſeinem Zorn am Schloß Hoya aus; welches
er in 7. Tagen mit mehr als tauſend Canon=Schüſſen
durchlöchert/ darunter auch einer meinen lieben Mann traff/
und mich zu einer unglückſeeligen Wittib machte.

---

1 Seite E²ᵃ 2 Vermügen E²ᵃ 3 letzt=lebend E³ 6 Treue bezeu=
gete E²ᵃ Vermächtnüs hinterlegten E²ᵃ 7 wirs] mirs E³ auß=
gefertiget E²ᵃ 8 den E³ andre E²ᵃ 9 Momms E¹ Mannes E²ᵃ
hin/in E²ᵃ 10 ſtund E²ᵃ 12 lutteriſchen E²ᵃ 13 Nerden E¹·²ᵃ
15 ohn E²ᵃ 18 nicht E²ᵃ 19 Forcht E²ᵃ 21 unſre E²ᵃ 28 ſtellete
E²ᵃ Nerden E¹·²ᵃ 29 ließ E²ᵃ 30 und goß ſeinen E²ᵃ 32 durch=
löcherte E²ᵃ 33 Witwe machete E²ᵃ

Das XII. Capitel.

Der Courage wird ihr trefflíche Courage auch trefflich eingetränckt.

ALs nun die Unſerige das Schloß / aus Forcht es möchte einfallen / und uns alle bedecken / dem König über= gaben / und herauszogen / ich auch alſo gantz betrübt und weynend mit marchirte / ſahe mich zu allem Unglück der jenige Major / den ich hiebevor von den Braunſchweigiſchen bey dem Mainſtrom gefangen bekommen / er erkundiget alſobalden die Gewißheit mei= [109] ner Perſon von den Unſerigen / und als er auch meinen damahligen Stand erfuhre / daß ich nemlich allererſt zu einer Wittib worden wäre / da nahme er die Gelegenheit in acht / und zwackte mich ohnverſehens von den Trouppen hinweg; Du Blut= Hex! ſagte er / jetzt will ich dir den Spott wider vergelten / den du mir vor Jahren bey Högſt bewieſen haſt / und dich lehren / daß du hinfort weder Wehr noch Waffen mehr führen: noch dich weiters unterſtehen ſolleſt / einen Cavallier gefangen zu nehmen; Er ſahe ſo gräßlich aus / daß ich mich auch nur vor ſeinem Anblick entſetzte; wäre ich aber auf meinem Rappen geſeſſen / und hätte ihn allein für mir im Feld gehabt / ſo hätte ich getraut ihn eine andere Sprache reden zu lernen; indeſſen führte er mich mitten unter einen Trouppen Reuter und gab mich den Fahnen= Juncker in Verwahrung / welcher alles was ich mit dem Obriſt Leutenant (dann er hatte ſeither dieſe Stell bekommen) zu thun hatte / von mir erkundigt; der erzehlte mir hingegen / daß er bey nahe damahls als ich ihn gefangen bekommen / [110] ſchier den Kopff / oder wenigſt ſein Major Stell verlohren hätte / um daß er ſich von einem Weibsbild vor der Brigaden hinweg fangen laſſen / und dardurch den Trouppen eine Unordnung und gäntzliche Zertrennung

5

10

15

20

25

30

---

9 erkundigte alſobald der E²ª 12 erfuhr E²ª Witwe E²ª 13 nahm E²ª 14 unverſehens E²ª den] der E³ Blut=Hexe E²ª 20 entſatzte E²ª 22 im] ihm E³ getrauet E²ª 24 dem E²ª 26 Stelle E²ª 27 erkundiget E²ª 28 bey nahe *fehlt* E²ª 29 ſchier] beynahe E²ª ſeine E²ª Stelle E²ª 31 Brigade E²ª dadurch E²ª dem E¹

verursacht/ wofern er nicht sich damit ausgeredet/ daß
ihn die Jenige so ihn hinweg genommen/ durch Zauberey
verblendet; zu letzt hätte er doch aus Scham resignirt/ und
Dänische Dienst angenommen.

Die folgende Nacht logirten wir in einem Quartier/
darinn wenig zum besten war/ allwo mich der Obrist Leut.
zwang/ zu revange seiner Schmach/ wie ers nennete/ seine
viehische Begierden zu vollbringen/ worbey doch (pfuy der
schändlichen Thorheit) weder Lust noch Freud seyn konte/
in dem er mir an statt der Küß/ ob ich mich gleich nit
sonderlich sperret/ nur dichte Ohrfeigen gab; den andern
Tag rissen sie unversehens aus wie die flüchtige Haasen/
hinter denen die Windhund herstreichen/ also daß ich mir
nichts anders einbilden konnte/ als daß sie der Tilly jagte/
wie= [111] wohl sie nur flohen/ aus Forcht gejagt zu
werden; die zweyte Nacht fanden sie Quartier/ da der
Bauer den Tisch deckte/ da lude mein tapfferer Held von
Officiern seines Gelichters zu Gast/ die sich durch mich
mit ihm verschwägern musten/ also daß meine sonst ohn-
ersättliche fleischliche Begierden dermahlen genugsam con-
tentirt wurden; die dritte Nacht/ als sie den gantzen Tag
abermahl geloffen waren/ als wann sie der Teuffel selbst
gejagt/ gieng es mir gar nit besser/ sondern viel ärger;
dann nachdem ich dieselbe kümmerlich überstanden/ und alle
diese Hengste sich müd gerammelt hatten/ (pfuy ich schämte
michs bey nahe zu sagen/ wann ichs dir Simplicissime
nit zu Ehren und Gefallen thäte) muste ich auch vor der
Herren Angesicht mich von den Knechten treffen lassen; Ich
hatte bißher alles mit Gedult gelitten/ und gedacht/ ich hätte
es hiebevor verschuldet/ aber da es hierzu kam/ war mirs
ein abscheulicher Greuel/ also daß ich anfieng zu lamentiren/
zu schmälen/ und Gott um Hülff und Rach anzuruffen;
aber ich fande keine Barmhertzigkeit bey die= [112] sen

1 verursachet E²ᵃ.³ 4 Dienste E²ᵃ 7 nante E²ᵃ 9 Freude E²ᵃ 10
Küsse/obgleich ich mich nicht E²ᵃ 11 sperrete E²ᵃ 13 Windhunde
E²ᵃ 16 zweyte] andre E²ᵃ 17 lud E²ᵃ 18 Officirern E²ᵃ 19 un-
ersättliche E²ᵃ.³ 20 damahlen E²ᵃ contentiret E²ᵃ 23 gejaget
E²ᵃ 26 ich E²ᵃ Simplicissime es nicht E²ᵃ 29 gedachte E²ᵃ 30
beschuldet E³ 32 schmalen E³ Hülffe E²ᵃ Rache E²ᵃ 33 fand
E²ᵃ

Viehischen Unmenschen/ welche aller Scham/ und Christlichen
Erbarkeit vergessen mich zu erst nackend auszohen/ wie ich
auf diese Welt kommen/ und ein paar Handvoll Erbsen
auf die Erden schütten/ die ich auflesen muste/ worzu sie
mich dann mit Spißruthen nöthigten; ja sie würtzten mich   5
mit Salz und Pfeffer/ daß ich gumpen und plitzen muste
wie ein Esel/ dem man ein Handvoll Dorn oder Nesseln
unter den Schweiff gebunden; und ich glaube/ wann es
nicht Wintersszeit gewesen wäre/ daß sie mich auch mit
Brennesseln gegeisselt hätten.   10

Hierauf hielten sie Rath/ ob sie mich den Jungen preiß
geben; oder mir als einer Zauberin den Proceß durch den
Hencker machen lassen wolten/ das letzte bedunckte sie/
gereiche ihnen allen zu schlechter Ehr/ weil sie sich meines
Leibs theilhafftig gemacht; zudem sagten die Verständigste   15
(wann anders diese Bestien auch noch ein Füncklein des
menschlichen Verstands gehabt haben) wann man ein solche
procedur mit mir hätte vornehmen wollen/ so solte mich der
Oberst Leutenant gleich anfangs unberührt gelas= [113] sen
und in die Hände der Justitz geliefert haben; Also kam das   20
Urthel heraus/ daß man mich den Nachmittag/ (dann sie
lagen denselben Tag in ihrer Sicherheit still) den Reuter=
Jungens Preiß geben sollte; Als sie sich nun des elenden
Spectaculs/ des Erbs auflesens satt gesehen/ dorffte ich
meine Kleider wieder anziehen/ und da ich allerdings damit   25
fertig/ begehrte ein Cavallier mit den Obrist Leutenant zu
sprechen/ und das war eben der jenige Rittmeister/ den ich
vor Lutter gefangen bekommen der hatt von meiner Ge=
fangenschafft gehört; Als dieser den Obrist Leutenant nach
mir fragte/ und zugleich sagte/ er verlange mich zu sehen/   30
weil ich ihn vor Lutter gefangen; führete ihn der Obrist
Leut. gleich bey der Hand in das Zimmer/ und sagte/ da
sitzt die Karania/ ich will sie jetzt strack den Jungen Preiß
geben; dann er nicht anders vermeinte/ als der Rittmeister

2 außzogen E²ᵃ.³   3 Händevoll E²ᵃ   4 Erde schütteten E²ᵃ   sie]
sich E²ᵃ   6 blitzen E²ᵃ   7 man ein] man eine E²ᵃ   14 Ehre E²ᵃ   15
Leibes E²ᵃ   gemachet E²ᵃ   Verständigsten E²ᵃ   17 Verstand E¹
Verstandes E²ᵃ   eine E²ᵃ   19 Obrist E²ᵃ   21 Urtheil E³   26 be=
gehrete E²ᵃ   dem E³   28 hatte E²ᵃ   29 gehöret E²ᵃ   32 Leutenant
E³   33 stracks E³   34 vermeinete E²ᵃ

würde so wohl als er ein graufame Rach an mir üben
wollen; aber der ehrliche Cavallier war gantz anders gesinnet/
er sahe mich kaum so kläglich dort sitzen/ als er anfieng
[114] mit einem Seuffzen den Kopff zu schütteln: Jch merckte
gleich sein Mitleiden/ siele derowegen auf die Knie nider/
und bat ihn um aller seiner adelichen Tugenden willen/
daß er sich über mich elende Dame erbarmen: und mich
vor mehrerer Schand beschirmen wolte; Er hub mich bey
der Hand auf und sagte zu dem Obersten Leutenant und
seinen Cammerrathen/ ach/ ihr rechtschaffene Brüder! was
habt ihr mit dieser Damen angefangen? der Oberste Leutenant so sich bereits halber bierschellig gesoffen/ siele ihm
in die Red und sagte/ was? sie ist eine Zauberin; ach
mein Herr/ verzeihe mir/ antwortet der Rittmeister/ so
viel ich von ihr weiß/ so bedunckt mich/ sie sey des tapffern
alten Grauen von T. seine leiblichen Frauen Tochter:
welcher rechtschaffene Held bey dem gemeinen Wesen Leib
und Leben/ ja/ Land und Leut aufgesetzt/ also daß mein
gnädigster König nicht gut heissen wird/ wann man dessen
Kinder so tractirt/ ob sie gleich ein paar Officier von uns
auf die Käyserl. Seiten gefangen bekommen! Ja ich dörffte
glauben/ ihr Herr Vatter [115] richtet auf diese Stunde
in Ungarn noch mehr wider den Käyser aus/ als mancher
thun mag/ der eine fliegende Armada gegen ihn zu Felde
führet; Ha! antwortet der Flegelhafftige Oberst Leutenant:
was hab ich gewust? warum hat sie das Maul nicht
aufgethan? die andere Officier/ welche den Rittmeister
wohl kanten/ und wusten/ daß er nicht allein von einen
hohen Dänischen Geschlecht: sondern auch bey dem König
in höchsten Gnaden war/ baten gar demüthig/ der Rittmeister wolte diß übersehen/ als eine geschehene Sach/
zum besten richten/ und vermittlen/ daß sie hierdurch in
keine Ungelegenheit kämen; dahingegen obligirten sie sich/

_____

1 eine E²ᵃ   Rache E²ᵃ   5 fiel E²ᵃ   8 Schande E²ᵃ   10 Cammera=
den E²ᵃ   11 habet E²ᵃ   Dame E²ᵃ   13 Rede E²ᵃ   14 antwortete
E²ᵃ   15 bedünckt E²ᵃ   16 u *hier typographisch für* v   seiner E²ᵃ
18 Leute auffgesetzet E²ᵃ   20 tractiret/ obgleich sie E²ᵃ   21 Seite E²ᵃ
24 Feld E²ᵃ   25 antwortete E²ᵃ   27 Officirer E²ᵃ   28 einem E²ᵃ.³
31 Sache E²ᵃ

ihme auf alle begebende Gelegenheit mit Darſetzung Guts
und Bluts bedient zu ſeyn; Sie bathen mich auch alle
auf den Knien um Verzeihung/ ich konte ihnen aber nur
mit weinen vergeben; und alſo kam ich/ zwar übel geſchänd/
aus dieſer Beſtien Gewalt in des Rittmeiſters Hände/
welcher mich weit höflicher zu tractiren wuſte; dann er
ſchickte mich alſobalden/ ohne/ daß er mich einmahl berührt
hatte/ [116] durch einen Diener und einen Reuter von ſeiner
Compagnia in Dennemarck auf ein Adelich Haus/ das ihm
kürtzlich von ſeiner Mutter Schweſter erblich zugefallen war/
allwo ich wie ein Princeſſin unterhalten wurde; welche
unverſehene Erlöſung ich beydes meiner Schönheit und
meiner Seugamme zu dancken/ als die ohne mein Wiſſen
und Willen dem Rittmeiſter mein Herkommen verträulich
erzehlt hatte.

Das XIII. Capitel.

Was vor gute Täge und Nächte die Gräffl. Fräulin im
Schloß genoſſe/ und wie ſie ſelbige wieder verlohren.

JCh pflegte meiner Geſundheit und bähete mich aus/ wie
einer der halb erfroren/ aus einem kalten Waſſer hinter
einem Stubenofen oder zum Feuer kommt; dann ich hatte
damahls auf der Welt ſonſt nichts zu thun/ als auf der
Streu zu liegen/ und mich wie ein Streit=Pferd im
Winter=Quartier auszumäſten/ und auf den künfftigen
Sommer im Feld deſto geruheter zu [117] erſcheinen/ und
mich in den vorfallenden occaſionen deſto friſcher gebrauchen
zu laſſen; davon wurde ich in Bälde wider gantz heil/
glathärig/ und meines Cavalliers begierig! der ſtellte ſich
auch bey mir ein/ ehe die längſte Nächt gar vergiengen/
weil er der lieblichen Frühlingszeit ſo wenig als ich mit
Gedult erwarten konte;

1 ihm E²ᵃ   4 geſchändet E²ᵃ   7 alſobald/ohn E²ᵃ   berühret hätte
E²ᵃ   11 eine E²ᵃ   ward E²ᵃ   13 ohn E²ᵃ   15 erzehlet E²ᵃ   17
die] dieſes E²ᵃ   18 genoß E²ᵃ   25 zu fehlt E³ (nur in Kuſtode)   27
ward E²ᵃ   in Bälde] gar bald E²ᵃ   28 ſtellete E²ᵃ   29 eh E²ᵃ
längſten Nächte E²ᵃ

Er kame mit vier Dienern / da er mich besuchte /
davon mich doch nur der eine sehen dorffte / nemlich der
jenige / der mich auch hingebracht hatte; es ist nicht zu
glauben / mit was vor hertzbrechenden Worten er sein
Mitleiden / das er mit mir trug / bezeugete / um daß
ich in den leidigen Wittibstand gesetzt worden; mit was
vor grossen Verheissungen er mich seiner getreuen Dienste
versicherte; und mit was vor Höfflichkeit er mir klagte /
daß er beydes mit Leib und Seel vor Lutter mein Gefangner
worden wäre; Hochgeborne schönste Dam / sagte er / dem
Leib nach hat mich mein fatum zwar gleich wieder ledig
gemacht / und mich doch in übrigen gantz und gar eueren
Sclaven bleiben lassen / welcher jetzt nichts an= [118] ders
begehrt und darum hieher kommen / als aus ihrem Munde
dem Sententz zum Tod oder zum Leben anzuhören; zum
Leben zwar / wann ihr euch über eueren elenden Gefangenen
erbarmet: Ihn in seinem schweren Gefängnus der Liebe
mit tröstlichem Mitleiden tröstet / und vom Tod errettet;
oder zum Tod / wann ich ihrer Gnad und Gegenliebe
nicht theilhafftig werden / oder solcher euerer Liebe unwürdig
geschätzt werden solte: Ich schätzte mich glückseelig / da sie
mich wie ein andere ritterliche Penthasilea mitten aus der
Schlacht gefangen hinweg geführt hatte / und da mir durch
äusserliche Lediglassung meiner Person meine vermeintliche
Freyheit wieder zugestellt wurde / hube sich allererst mein
Jammer an / weil ich die jenige nicht mehr sehen konte /
die mein Hertz noch gefangen hielte / zumahlen auch kein
Hoffnung machen konte / dieselbe wegen beyderseits widereinander strebenden Kriegswaffen jemahls widerum ins
Gesicht zu bekommen; solchen meinen bißherigen elenden
Jammer / bezeugen viel tausent Seuffzer / die ich seithero
zu meiner [119] liebwürdigen Feindin gesendet / und weil

1 kam E²ª 3 nit E²ª 6 Witwenstand gesetzet E²ª 9 Seele E²ª
Gefangener E²ª 10 Dame E²ª 12 gemachet E²ª im E²ª.³ übrigen (im Gemüth) E²ª euern E²ª euren E³ 14 begehret E²ª
Mund den E²ª 16 euern E²ª 17 Gefängnüs E²ª 19 Gnade E²ª
20 nit E²ª eurer E²ª 21 geschätzet E²ª 22 eine andre E²ª 23 geführet E²ª 25 zugestellet ward / hub E²ª 26 die jenige ~ zu-
mahlen] diejenige / die mein Hertz noch gefangen hielt / nicht mehr
sehen: zumahlen E²ª keine E²ª

solche alle vergeblich in die leere Lufft giengen/ geriehte
ich allgemach zur Verzweiffelung/ und wäre auch/ etc.
Solche und dergleichen Sachen brachte der Schloßherr vor/
mich zu dem jenigen zu persuadirn, wornach ich ohne das
so sehr als er selbst verlangte; Weil ich aber mehr in der=
gleichen Schulen gewesen/ und wohl wuste/ daß man das
jenige/ was einem leicht ankommt/ auch gering achtet/ als
stellte ich mich gar weit von seiner Meynung entfernet zu
seyn/ und klagte hingegen/ daß ich im Werck befande/ daß
ich sein Gefangner wäre/ sintemahl ich meines Leibs nit
mächtig/ sondern in seiner Gewalt aufgehalten würde; Ich
müste zwar bekennen / daß ich ihm vor allen andern
Cavalliren in der gantzen Welt zum allergenauesten ver=
bunden/ weilen er mich von meinen Ehrenschändern errettet;
erkennete auch/ daß meine Schuldigkeit sehe/ solche ehr=
liche und lobwürdige Tath wider gegen ihm mit höchster
Danckbarkeit zu beschulden; wann aber solche meine Schuldig=
keit unter dem Deckmantel der Liebe mit [120] Verlust
meiner Ehr abgeleget werden müste/ und daß ich eben zu
solchem Ende in dieses Ort gebracht worden wäre/ so könte
ich nicht sehen/ was er bey der erbarn Welt vor die
beschehene ruhmwürdige Erlösung vor Ehr/ und bey mir
vor einen Danck zu gewarten/ mit demüthiger Bitte/ er
wolle sich durch eine That die ihn vielleicht bald wieder
reuen würde/ keinen Schandflecken anhencken/ noch dem
hohen Ruhm eines ehrliebenden Cavalliers den Nachklang
zu freyen/ daß er ein armes verlassenes Weibsbild in seinem
Hause wider ihren Willen/ etc. und damit fieng ich an zu
weinen/ als wann mirs ein lauterer gründlicher Ernst
gewesen wäre/ nach dem alten Reumen:

1 geriehte E²ᵃ   4 zupersuadiren E²ᵃ   ohn E²ᵃ   5 verlangete E²ᵃ   6
Schule E²ᵃ   8 stellete E²ᵃ   9 befände E²ᵃ   10 seine Gefangene E²ᵃ
Leibes E²ᵃ   11 seiner E²ᵃ   12 ihn E³   anderen E²ᵃ   13 gantzen
weiten E²ᵃ   15 erkenne E²ᵃ   sey E²ᵃ   solchen ehrlichen E³   16
lobwürdigen E³   Rath E¹·³   wider *fehlt* E²ᵃ   17 Danckbarkeit wi=
der E²ᵃ   18 unter] und E¹   19 Ehre abgeleget E²ᵃ   20 Ort were
gebracht worden E²ᵃ   22 Ehre E²ᵃ   25 anhengen E²ᵃ   28 Hauß
E²ᵃ   29 es mir E²ᵃ   lauter E²ᵃ   30 Reimen E²ᵃ·³

Die Weiber weinen offt mit Schmertzen/
gleich als gieng es ihn von Hertzen/
Sie pflegen sich nur so zu stellen/
und können weinen wann sie wöllen.

5 Ja damit er mich noch höher aestimiren solte/ botte ich
ihm 1000. Reichsthaler vor meine Rantzion an/ wann er
mich unberührt lassen/ und widerum zu den Meinigen
sicher passiren lassen wolte; aber er antwor= [121] tet:
Seine Liebe gegen mir sey so beschaffen/ daß er mich nicht
10 vor das gantze Königreich Böhmen verwechseln könte; zu
dem seye er seines Herkommens und Standes halber/ mir
gar nit ungleich/ daß es eben etwan wegen eine Heurath
zwischen uns beeden viel difficulteten brauchen solte; Es
hatte mit uns beyden natürlich ein Ansehen/ als wann ein
15 Täubler irgend einen Tauber und eine Täubin zusammen
sperret/ daß sie sich paaren sollen/ welche sich anfänglich lang
genug abmatten/ biß sie des Handels endlich eins werden;
eben also machten wirs auch/ dann nachdem mich Zeit seyn
bedunckte/ ich hätte mich lang genug widersetzt/ wurde ich
20 gegen diesem jungen Buhler welcher noch nicht über zwey
und zwantzig Jahr auf sich hatte/ so zahm und geschmeidig/
das ich auf seine güldene Promessen in alles einwilligte/
was er begehrte/ ich schlug ihm auch so wohl zu/ daß er
einen gantzen Monat bey mir bliebe/ doch wuste niemand/
25 warum/ als obgemeldter einiger Diener/ und eine alte
Haushofmeisterin/ die mich in ihrer Pfleg hatte/ und E.
Gräfl. Gn. [122] tituliren muste; da hielte ich mich wie das
alte Sprichwort lautet:

Ein Schneider auf eim Roß/ ein Hur aufm Schloß/
30 Ein Lauß auf dem Grind/ seynd drey stoltzer Hofgesind.

---

2 Als ging es ihnen recht von E²ª   4 und] sie E²ª   5 aestimiren (hal-
ten) E²ª   bot E²ª   7 lassen *fehlt* E²ª   8 antwortete E²ª   9 nit E²ª
11 sey E²ª   12 nicht E²ª   einer E²ª   Heyrath E³   13 beyden E²ª
Difficultäten (Schwürigkeiten) E²ª   18 wir es E²ª   19 bedünckte
E²ª   widersetzet/ward E²ª   würde E¹   20 diesen E²ª   21 Jahre
E²ª   22 göldene E²ª   23 begehrete E²ª   24 blieb E²ª   25 einziger
E²ª   26 Pflege E²ª   27 Gn. *fehlt* E¹·³   musten E³   hielt E²ª   29
Ein Schneider auf eim schönen Roß: Die Hur' auff einem prächt=
gen Schloß: | Die Lauß im weichen Eyter=Grind/Sind über stoltzes
Hoff=Gesind E²ª

68

Mein Liebhaber besuchte mich demselben Winter gar
offt / und wann er sich nicht geschämt hätte / so glaub ich /
er hätte den Degen gar an einen Nagel gehenckt / aber er
muste beydes seinen Herrn Vattern und dem König selbst
scheuen / als der sich dem Krieg / wiewohl mit schlechtem   5
Glück / ernstlich angelegen seyn liese; doch macht ers mit
seinem Besuchen so grob / und kam so offt / daß es endlich
sein alter Herr Vatter und Frau Mutter mercken / und auf
fleissiges Nachforschen erfuhren / was er vor einen Magnet
in seinem Schloß heimlich aufhielte / der seine Waffen so   10
offt aus dem Krieg an sich zoge; derowegen erkundigten
sie die Beschaffenheit meiner Person gar eigentlich / und
trugen grosse Sorge für ihren Sohn / daß er sich villeicht
mit mir verplempern und hangen bleiben möchte / an einer /
davon ihr hohes Hause wenig Ehr [123] haben konte;   15
derowegen wolten sie ein solche Ehe beyzeiten zerstören /
und doch so behutsam damit umgehen / daß sie sich auch
nicht an mir vergriffen / noch meine Verwandte vor dem
Kopff stiessen / wann ich etwan / wie sie von der Haus=
hofmeisterin vernommen / von einem Gräflichen Geschlecht   20
geboren seyn / und ihr Sohn auch mir allbereit die Ehe
versprochen haben solte.

Der allererste Angriff zu diesem Handel war dieser /
daß mich die alte Haushofmeisterin gar verträulich warnete /
es hätten meines Liebsten Eltern erfahren / daß ihr Herr   25
Sohn eine Liebhaberin heimlich enthielte / mit derer er sich
wider ihrer der Eltern Willen zu verehlichen gedächte / so
sie aber durchaus nicht zugeben könten / dieweil sie ihn
allbereit an ein fast hohes Haus zu verheurathen versprochen;
wären derowegen gesinnet / mich beym Kopff nehmen zu   30
lassen / was sie aber weiters mit mir zu thun entschlossen /
seye ihr noch verborgen; hiermit erschreckte mich zwar die
Alte / ich liese aber meine Angst nicht allein nicht mercken /
sondern stellte mich darzu so freudig / als wann mich [124]

1 denselben E²ᵃ.³   2 geschämet E²ᵃ   hätte *fehlt* E²ᵃ   glaube E²ᵃ
3 gehengt E²ᵃ   4 Vater und selbst den E²ᵃ.³   6 ließ E²ᵃ   machte
er es E²ᵃ   8 und seine E²ᵃ   merckten E²ᵃ.³   11 zog E²ᵃ   14 be=
hangen E²ᵃ   15 Haus E²ᵃ   Ehre E²ᵃ   16 eine E²ᵃ   18 Verwanten
E²ᵃ   den E²ᵃ.³   26 deren E²ᵃ   dern E³   27 ihren E²ᵃ   29 verhey=
rathen E²ᵃ   32 sey E²ᵃ   33 ließ E²ᵃ   nit allein nit E²ᵃ   34 stellete
E²ᵃ

der groſſe Moger aus India wo nit beſchützen/ doch wenigſt
revangirn würde/ ſintemahl ich mich auf meines Liebhabers
groſſe Liebe und ſtattliche Verheiſſung/ verlaſſen/ von
welchem ich auch gleichſam alle acht Tage nit nur bloſſe
5   liebreiche Schreiben: ſondern auch jedesmahl anſehenliche
Verehrungen empfieng/ dargegen beklagte ich mich/ in
Widerantwort gegen ihm/ weß ich von der Haußhofmeiſterin
verſtanden/ mit Bitt/ er wolte mich aus dieſer Gefahr
erledigen und verhindern/ daß mir und meinem Geſchlecht
10   kein Spott widerführe; das End ſolcher Correſpondenz
war/ daß zu letzt zween Diener in meines Liebhabers
Lieberey gekleidet/ angeſtochen kamen/ welche mir Schreiben
brachten/ daß ich mich alſobalden mit ihnen verfügen ſolte/
um mich nacher Hamburg zu bringen/ allda er mich/ es
15   wäre ſeinen Eltern gleich lieb oder leid/ öffentlich zur
Kirchen führen wolte; wann alsdann ſolches geſchehen wäre/
ſo würden beydes Vatter und Mutter wohl Ja ſagen:
und als zu einer geſchehenen Sach das Beſte reden müſſen;
Ich war [125] gleich fix und fertig wie ein alt Feuerſchloß/
20   und lieſe mich ſo Tags ſo Nachts/ erſtlich auf Wißmar:
und von dannen auf gedachtes Hamburg führen/ allda ſich
meine zween Diener abſtohlen/ und mich ſo lang nach
einem Cavallier aus Dennemarck umſehen lieſſe/ der mich
heurathen würde/ als ich immer wolte; da wurde ich
25   allererſt gewahr/ daß der Hagel geſchlagen/ und die Be=
trügerin betrogen worden wäre; Ja mir wurde geſagt/ ich
möchte mit ſtillſchweigender Patientz verlieb nehmen/ und
GOtt dancken/ daß die vornehme Braut unterwegs nicht in
der See ertränckt worden wäre/ oder man ſey auf des
30   Hochzeiters Seiten noch ſtarck genug/ mir auch mitten in
einer Stadt/ da ich mir vielleicht ein vergebliche Sicherheit
einbilde/ einen Sprung zu weiſen/ der einer ſolchen
gebühre/ worvon man wüſte/ daß ich zu halten ſey; was

1 Mogol E²ᵃ   nicht E²ᵃ   2 revangiren E³   revangiren (rächen)
E²ᵃ   7 weſſen E²ᵃ   8 Bitte E²ᵃ   10 Ende aber E²ᵃ   13 alſobald
E²ᵃ   16 Kirche E²ᵃ   17 wurden E³   18 Sache E²ᵃ   20 ließ E²ᵃ
Wißmar: ferner nacher Lübeck/etc. E²ᵃ   23 Dennemarck ~ würde/]
Dänemarck der mich heuraten würde/umſehen lieſſe/ E²ᵃ   24 hey=
rathen wurde E³   ward E²ᵃ   26 ward E²ᵃ   27 vorlieb E²ᵃ.³   30
Seite E²ᵃ   31 eine vergebliche E²ᵃ   33 wovon E²ᵃ

solt ich machen? mein Hochzeitherey/ meine Hoffnung;
meine Einbildungen und alles worauf ich gespannet/ war
dahin/ und miteinander zu Grund gefallen; die vertreu-
liche liebreiche Schreiben/ die ich an meinen Liebsten von
[126] einer Zeit zur andern abgehen lassen/ waren seinen
Eltern eingeloffen/ und die jeweilige Widerantwortbrieffe/
die ich empfangen/ hatten sie abgeben/ mich an dem Ort
zu bringen/ da ich jetzt sasse/ und allgemach anfienge mit
dem Schmalhansen zu conferirn der mich leichtlich über-
redete/ mein täglich Maulfutter mit meiner nächtlichen
Handarbeit zu gewinnen.

Das XIV. Capitel.

Was Courage ferners anfieng/ und wie sie nach zweyer
Reuter Tod/ sich einem Mußquetierer theilhafftig machte.

JCh weiß nit/ wie es meinem Liebhaber gefallen/ als
er mich nicht wieder in seinem Schloß angetroffen/
ob er gelacht oder geweynt habe/ mir wars leid/ daß ich
seiner nicht mehr zu geniessen hatte/ und ich glaub/ daß
er auch gern noch länger mit mir vorlieb genommen hätte/
wann ihm nur seine Eltern das Fleisch nicht so schnell
aus den Zähnen gezogen; um diese Zeit überschwämmte
der Wallensteiner/ der [127] Tilly und der Graf Schlick/
gantz Holstein und andere Dänische Länder mit einem
Hauffen Käyserlicher Völcker wie mit einer Sündfluth/
deren die Hamburger so wol als andere Ort/ mit Proviant
und Munitzion aushelffen musten; dannenhero gab es viel
Aus- und Einreutens und bey mir zimliche Kunden Arbeit;
endlich erfuhre ich/ daß meine angenommene Mutter sich
zwar noch bey der Armee aufenthielte/ hingegen aber alle
meine Bagage biß auf ein paar Pferde verlohren/ welches
mir den Compaß gewaltig verruckte; Es schlug mir in

1 solte E²ᵃ   meine E²ᵃ   7 den E²ᵃ.³   8 saß E²ᵃ   anfing E²ᵃ   9
Schmalhans zuconferiren E²ᵃ   17 gelachet E²ᵃ   geweynet E²ᵃ   war
es E²ᵃ   18 glaube E²ᵃ   21 dem E¹   25 denen E²ᵃ   Oerter E²ᵃ
27 Einreitens E³   28 erfuhr E²ᵃ

Hamburg zwar wohl zu/ und ich hätte mir mein Lebtage
kein beſſere Händel gewünſcht/ weil aber ſolche fortuna
nicht länger beſtehen konte/ als ſo lang das Kriegsvolck
im Land lag/ ſo muſte ich bedacht ſeyn/ meine Sach auch
5 anders zu karten; Es beſuchte mich ein junger Reuter/
der bedeuchte mich faſt liebwürdig/ reſolut und bey Gelt=
mitteln zu ſeyn/ gegen dieſem richtet ich alle meine Netz/
und unterlieſe kein Jäger=Stücklein/ biß ich ihn in meine
Strick brachte/ und ſo verliebt machte/ daß er [128] mir
10 Salat aus der Fauſt eſſen mögen ohne einigen Eckel; dieſer
verſprach mir bey Teuffel holen/ die Ehe/ und hätte mich
auch gleich in Hamburg zur Kirchen geführt/ wann er
nicht zuvor ſeines Rittmeiſters conſens hierzu hätte erbitten
müſſen; welchen er auch ohnſchwer erhielte/ da er mich
15 zum Regiment brachte/ alſo daß er nur auf Zeit und
Gelegenheit wartete/ die copulation würcklich zu vollziehen
laſſen; Indeſſen verwunderten ſich ſeine Cammerrathen/
woher ihm das Glück/ ſo eine ſchöne junge Maiſtreſſe zu=
geſchickt unter welchen die allermeiſte gern ſeine Schwäger
20 hätten werden mögen; dann damahls waren die Völcker bey
dieſer ſieghafften Armee wegen langwürigen glücklichen Wol=
ergehens und vieler gemachten Beuten/ durch Uberfluß
aller Dinge dergeſtalt fett und ausgefüllet/ daß der gröſte
Theil durch Kützel des Fleiſches angetrieben/ mehr ihrer
25 Wolluſt nachzuhängen/ und ſolchen abzuwarten/ als um
Beuten zu ſchauen/ oder nach Brod und Fourage zu
trachten/ gewohnt war; und ſonderlich ſo war meines
Hochzeiters Corporal [129] ein ſolcher Schnaphan/ der auf
dergleichen Naſcherey am allermeiſten verpicht war/ als
30 welcher gleichſam eine Profeſſion daraus machte/ anderen
die Hörner aufzuſetzen/ und ſichs vor eine groſſe Schand
gerechnet hätte/ wann er ſolches irgends unterſtanden/ und
nicht werckſtellig machen mögen; wir lagen damahls in
Stormaren welches noch niemahls gewuſt/ was Krieg
35 geweſen/ dannenhero war es noch voll von Uberfluß/ und

2 keine E²ᵃ   gewünſchet E²ᵃ   4 Sache E²ᵃ   7 dieſen richtete E²ᵃ
Netze E²ᵃ   8 unterließ E²ᵃ   9 Stricke E²ᵃ   10 Fauſt ~ Eckel] Fauſt
ohn einzigen Ekel eſſen möge E²ᵃ   12 Kirche geführet E²ᵃ   14 un=
ſchwer erhielt E²ᵃ   17 Cammeraden E²ᵃ   23 außgefüllet E²ᵃ
27 gewohnet E²ᵃ   31 Schande E²ᵃ   33 nit E²ᵃ

reich an Nahrung/ worüber wir uns Herren nannten/
und dem Landmann vor unsere Knechte/ Köch und Tafel=
decker hielten/ da währete Tag und Nacht das Panque=
diren und lude je ein Reuter den andern auf seines Hauß=
wirths Speiß und Tranck zu Gast/ diesen modum hielte   5
mein Hochzeiter auch/ worauf angeregter Corporal sein
Anschlag machte/ mir hinter die Haut zu kommen; dann
als mein besagter Hochzeiter sich mit zweyen von seinen
Cammerrathen (so aber gleichwol auch des Corporals Crea=
turen gewesen) in seinem Quartier lustig machte/ kam der   10
Corporal und commandirte ihn zu der Standarten [130]
auf die Wacht/ damit/ wann mein Hochzeiter fort wäre/
er sich selbst mit mir ergötzen könte; weil aber mein Hoch=
zeiter den Possen bald merckte/ und ungern leiden wolte/
daß ein anderer seine Stell vertretten/ (oder daß ichs fein   15
teutsch gebe) ihn der Corporal zum Gauch machen
solte; sihe/ da sagte er ihm/ daß noch etliche wären/ denen
vor ihm gebührte solche Wacht zu versehen; der Corporal
hingegen sagte ihn/ er solte nicht viel disputirn/ sondern
seinem Commando parirn/ oder er wolte ihm Füsse machen;   20
dann er wolte diese feine Gelegenheit meiner theilhafftig
zu werden/ einmahl nicht aus Handen lassen; demnach
ihm aber solche mein Liebster nicht zu gönnen gedachte/
widersetzte er sich dem Corporal so lang/ biß er von Leder
zog/ und ihn auf die Wacht nötigen/ oder in Krafft=   25
habenden Gewalts so exemplarisch zeichnen wolte/ daß ein
andermahl ein anderer wisse/ wie weit ein Untergebener
seinem Vorgesetzten zu gehorsamen schuldig wäre; aber ach/
mein lieber Stern verstund den Handel leyder übel/ dann
er eben so bald mit sei= [131] nem Degen fertig/ und ver=   30
dingte dem Corporal eine solche Wunden in Kopff/ die ihn
des unkeuschen und erhitzten Geblüts alsobald entledigte/
und allen Kitzel dergestalt vertriebe/ daß ich wohl sicher

2 Köche E²ᵃ   3 Panquetiren E²ᵃ   4 lud E²ᵃ   5 Speise E²ᵃ   hielt
E²ᵃ   6 seinen E²ᵃ   7 machete E²ᵃ   9 Cammerraden E²ᵃ   10 ma=
chete E²ᵃ   11 Standarte E²ᵃ   13 selbst desto kecklicher E²ᵃ   14
merckete E²ᵃ   15 Stelle E²ᵃ   18 gebührete E²ᵃ   19 ihm E²ᵃ.³   nit
E²ᵃ   disputiren E²ᵃ   20 seinem E²ᵃ.³   pariren E²ᵃ   21 feine]
feine E³   23 nit E²ᵃ   24 widersatzte E²ᵃ   25 Krafthabender Ge=
walt E²ᵃ   31 Wunde E²ᵃ   33 vertrieb E²ᵃ

vor ihm seyn konte; die beyde Gäst giengen ihrem Corporal
auf sein Zuschreyen zu Hülff/ und mit ihren Fochteln auch
auf meinen Hochzeiter loß/ davon er den einen alsobalden
durchstach/ und den andern zum Hauß hinaus jagte/ welcher
aber gleich wieder kam/ und nit allein den Feldscherer vor
die Verwundte/ sondern auch etliche Kerl brachte/ die
meinen Liebsten und mich zum Profosen führten/ allwo er
an Händ und Füssen in Band und Ketten geschlossen wurde;
Man machts gar kurtz mit ihm/ dann den andern Tag
ward Standrecht über ihn gehalten/ und ob zwar Sonnenklar an Tag kam/ daß der Corporal ihn keiner andern
Ursachen halber auf die Wacht commandirt/ als selbige
Nacht an Statt seiner zu schlaffen; so wurde doch erkant/
um den Gehorsam gegen den Officiern zu erhalten/ daß
mein Hochzeiter aufgehenckt: Ich aber mit Ruthen ausgehauen
werden solte; [132] weil ich an solcher That ein Ursächerin
gewesen/ Jedoch wurden wir beyde so weit erbetten/ daß
mein Hochzeiter Harquebulirt: Ich aber mit dem Stecken-
knecht vom Regiment geschickt wurde/ welches mir gar ein
abgeschmackte Reiß war.

So sauer kam mich aber diese Reiß nicht an/ so
fanden sich doch zween Reuter in unsern Quartier/ die
mir und ihnen solche versüssen wolten/ dann ich war kaum
ein Stund gehend hinweg/ da sassen diese beyde in einem
Busch/ dardurch ich muste passiren/ mich willkommen zu
heissen! Ich bin zwar/ wann ich die Warheit bekennen
muß/ meine Tage niemahl so hechel gewesen/ einem guten
Kerl eine Fahrt abzuschlagen/ wann ihn die Noth begriffen;
aber da diese zween Haluncken mitten in meinem Elend
eben das jenige von mir mit Gewalt begehrten/ wessentwegen
ich verjagt: und mein Auserwehlter tod geschossen worden/
widersetzte ich mich mit Gewalt; dann ich konte mir wohl

---

1 beyden Gäste E²ª   2 Hülffe E²ª   3 alsobald E²ª   5 nicht E²   6
Verwundete E²ª   7 Profoß führeten E²ª   8 Händen E²ª   Bände
E²ª   ward E²ª   9 macht es E²ª   12 Ursache E²ª   commandiret
E²ª   13 würde E¹·³   ward E²ª   14 Officirern E²ª   15 auffge-
hengt E²ª   16 eine E²ª   19 ward E²ª   mir auch E²ª   gar *fehlt*
E²ª   eine E²ª   20 Reise E²ª   21 saur aber E²ª   aber *fehlt*
Reise nit E²ª   22 unserm E²ª·³   24 eine Stunde E²ª   25 dadurch
E²ª   27 hekel E²ª   30 begehreten E²ª   32 widersatzte E²ª

einbilden/ wann sie ihren Willen erlangt und vollbracht/
daß sie mich auch erst geplündert hätten/ als welches Vor-
haben [133] ich ihnen gleichsam aus den Augen und von
der Stirnen ablesen konte; sintemahl sie sich nicht schämten
mit entblösten Degen/ auf mich/ wie auf ihrem Feinde   5
loß zu gehen/ beydes mich zu erschrecken/ und zu dem/
was sie suchten/ zu nöthigen; weil ich aber wuste/ daß
ihre scharffe Klingen meiner Haut weniger als zwo Spitz-
gerten abhaben würden/ sihe/ da waffnete ich mich mit
meinen beyden Messern/ von denen ich in jede Hand eins   10
nahm/ und ihnen dergestalt begegnete/ daß der eine eins
davon im Hertzen stecken hatte/ ehe er sichs versahe; der
ander war stärcker und vorsichtiger als der erste/ wessentwegen ich ihme dann so wenig als er mir an den Leib
kommen konte; wir hatten unter währendem Gefecht ein   15
wildes Geschrey; er hiese mich eine Hur/ eine Vettel/ eine
Hex/ und gar einen Teuffel; hingegen nannte ich ihn einen
Schelmen einen Ehrendieb/ und was mir mehr von solchen
erbarn Tituln ins Maul kam/ welches Balgen einen
Mußquetierer überzwergs durch den Busch zu uns lockte/   20
der lang stunde/ und uns zusahe/ was wir vor [134]
seltzame Sprüng gegeneinander verübten/ nicht wissend/
welchen Theil er unter uns beystehen oder Hülffe leisten
solte; und als wir ihn erblickten/ begehrte ein jedes/ er
wolte es von dem andern erretten/ da kan nun ein jeder   25
wohl gedencken/ daß Mars der Vener viel lieber als dem
Vulcano beygestanden/ vornemlich als ich ihn gleich güldene
Berg versprach/ und ihn meine ausbündige Schönheit blendet
und bezwang; Er passte auf/ und schlug auf den Reuter
an/ und brachte ihn mit Bedrohung dahin/ daß er mir   30
nicht allein den Rucken wendet/ sondern auch anfieng darvon zu lauffen/ daß ihm die Schuchsohlen hätten herunter
fallen mögen/ seinen entseelten Cammerrathen sich in seinem
Blut waltzend/ hinterlassend;

3 aus] von E²ᵃ   4 schämeten E²ᵃ   5 ihren E²ᵃ.³   Feind E²ᵃ   9 ab-
hauen E²ᵃ   12 eh E²ᵃ   14 ihm E²ᵃ   16 hieß E²ᵃ   Hure E²ᵃ   17
Here E²ᵃ   20 lockete E²ᵃ   21 stund E²ᵃ   22 Sprünge E²ᵃ   nit
wissende/welchem E²ᵃ   24 begehrete E²ᵃ   jeder E²ᵃ   26 Veneri
E²ᵃ.³   27 göldene Berge E²ᵃ   28 blendete E²ᵃ   31 Rücken wante
E²ᵃ   davon E²ᵃ   33 Cammerrad E²ᵃ   34 wältzend/hinterlassende
E²ᵃ

Als nun der Reuter seines Wegs war/ und wir uns allein beysammen befanden/ erstummte dieser junge Mußquetierer gleichsam über meiner Schönheit/ und hatte nit das Hertz/ etwas anders mit mir zu reden/ als daß er mich
5 fragte/ durch was vor ein Geschick ich so gar allein zu diesem Reuter [135] kommen wäre? darauf erzehlte ich ihm alles Haarklein/ was sich mit meinem gehabten Hochzeiter/ item/ mit dem Corporal und dann auch mit mir zugetragen; so dann/ daß mich diese beyde Reuter/ nemlich der gegen=
10 wärtige Tode und der Entloffene als ein armes verlassenes Weibsbild mit Gewalt schänden wollen/ deren ich mich aber bißher/ wie er selbst zum Theil wohl gesehen/ ritter= lich erwehrt; mit Bitt/ er wolte als mein Nohthelffer und Ehrenretter mich ferner beschützen helffen/ biß ich irgends=
15 hin zu ehrlichen Leuten wieder in Sicherheit käme/ ver= sicherte ihn auch ferner/ daß ich ihme vor solche seine erwiesene Hülffe und Beystand mit einen ehrlichen recompens zu begegnen nicht ermanglen würde; er besuchte darauf den Toden/ und nahme zu sich was er schätzbarliches bey
20 sich hatte/ welches ihm seine Mühe zimlich belohnte; da= rauf machten wir uns bald aus dem Staub/ und indem wir unseren Füssen gleichsam über Vermögen zu= sprachen/ kamen wir desto ehender durch den Bosch/ und erreichten denselben [136] Abend noch des Mußquetierers
25 Regiment/ welches fertig stunde/ mit dem Colalto, Alt= rinniger und Gallas in Italia zu gehen.

---

2 erstummete E²ᵃ   3 nicht E²ᵃ   6 erzehlete E²ᵃ   10 Tod E²ᵃ   13 erwehret E²ᵃ   Bitte E²ᵃ   16 ich ihm E²ᵃ   17 einem E²ᵃ·³   19 Todten E³   nahm E²ᵃ   20 belohnete E²ᵃ   21 bald *fehlt* E²ᵃ   22 Vermügen E²ᵃ   23 Busch E²ᵃ   25 stund E²ᵃ

Das XV. Capitel.

Mit was vor Conditionen sie den Ehestand lediger Weiß
zu treiben einander versprochen.

WAnn eine ehrliche Ader in meinem Leibe gewesen wäre/
so hätte ich damahls meine Sach anders anstellen:
und auf einen ehrlichern Weg richten können; dann meine
angenommene Mutter mit noch zweyen von meinen Pferden
und etwas an paarem Gelt erkundigt mich/ und gab mir
den Raht/ ich solte mich aus den Krieg zu meinem Gelt
auf Prag: oder auf meines Hauptmans Gütter thun/ und
mich im Frieden Haußhäblich und geruhlich ernähren; aber
ich liese meiner unbesonnenen Jugend weder Weißheit noch
Vernunfft einreden/ sondern je toller das Bier gebrauet
wurde/ je besser es mir schmeckte/ ich und gedachte meine
Mutter/ hielten sich bey einem [137] Marquedenter unter
dem jenigen Regiment/ darunter mein Mann der zu Hoya
umkommen/ Hauptmann gewesen/ alwo man mich seinetwegen zimlich respectirte; und ich glaub auch/ daß ich
wieder einen wackern Officier zum Mann bekommen hätte/
wann wir geruhig gewest/ und irgends in einem Quartier
gelegen wären.   Aber dieweil unsere Kriegsmacht von
20000. Mannen in drey Heeren bestehend/ schnell auf
Italia marchirte/ und durch Graubünden/ das viel Ver-
hinderungen gemacht/ brechen muste/ sihe/ da gedachten
wenig witzige an das Freyen/ und dannenhero verbliebe
ich auch desto länger eine Wittib; über das hatten auch
etliche nicht das Hertz/ andere aber sonst ihr Bedencken/
mich um die Verehligung anzureden; und sonst mir extra
oder neben her etwas zuzumuthen/ darzu hielten sie mich
vor viel zu ehrlich/ weil ich mich bey meinem vorigen
Mann gehalten / daß mich männiglich vor ehrlicher hielte
als ich gewesen.   Gleichwie mir aber mit einer langwierigen

5

10

15

20

25

30

2 weise E²ᵃ   4 Leib E²ᵃ   5 Sache E²ᵃ   6 ehrlichen E³   8 erkun=
digte E²ᵃ   9 aus dem E²ᵃ.³   11 Friede E²ᵃ   12 ließ E²ᵃ   13 Vernunfft etwas E²ᵃ   14 ward E²ᵃ   18 respectirete E²ᵃ   glaube E²ᵃ
20 gewesen E²ᵃ   22 dreyen E²ᵃ   bestehende E²ᵃ   23 Italien E²ᵃ
Verhinderung gemachet E²ᵃ   25 verblieb E²ᵃ   26 Witwe E²ᵃ   31
ehrlich E¹

Fasten wenig gedienet/ also hatte sich hingegen der jenige
Mußquetier/ [138] so mir in der Occaſion, die ich mit
obengedachter beyden Reutern gehabt/ zu Hülffe kommen/
dergestalt an mir vergafft und vernarret/ daß er Tag und
Nacht keine Ruhe hatte/ sondern mir manchen Trab
schenckte/ wann er nur Zeit haben und abkommen konte.
Ich sahe wol was mit ihn umgieng/ und wo ihn der
Schuch druckte/ weil er aber die courage nicht hatte/ sein
Anliegen der Courage zu entdecken/ war bey mir die
Verachtung so groß/ als das Mitleiden; doch änderte ich
nach und nach meinen stolzen Sinn/ der Anfangs nur
gedachte eine Officirerin zu seyn; dann als ich des Marquedenters Gewerb und Handthierung betrachtete/ und
täglich vor Augen sahe/ was ihm immerzu vor Gewinn
zugieng/ und daß hingegen mancher praver Officier mit
dem Schmalhansen Taffel halten muste/ fieng ich an
darauf zu gedencken/ wie ich auch eine solche Marquedenterey
aufrichten/ und ins Werck stellen möchte; ich machte den
Uberschlag mit meinen bey mir habenden Vermögen/ und
fande solches weil ich noch ein zimliche Quanti- [139]
tät Goldstücker in meiner Brust vernehet wuste/ gar wohl
pastand zu seyn; Nur die Ehr oder Schand lag mir noch
im Weg/ daß ich nemlich aus einer Hauptmännin ein
Marquedenterin werden solte; als ich mich aber erinnerte/
daß ich damahls keine mehr war/ auch wohl vielleicht keine
mehr werden würde/ sihe/ da war der Würffel schon
geworffen! und ich fieng bereits an in meinem Sinn/
Wein und Bier um doppelt Gelt auszuzapffen/ und ärger
zu Schinden und zu Schachern/ als ein Jud von 50. oder
60. Jahren thun mag.

Eben um diese Zeit/ als wir nemlich mit unseren
dreyfachen Käyserlichen Heer über die Alpes oder das hohe
Gebürg in Italiam gelangt/ war es mit meines Galanen
Liebe aufs höchste kommen/ ohne daß er noch das geringste
Wort darvon mit mir gesprochen; Er kam einsmahls

---

3 obengedachten E²ᵃ   Ruthen E¹   7 mit ihm E³   14 immerzu für
E³   15 Officirer E²ᵃ   16 Schmalhans E²ᵃ   19 meinem E³   Vermügen E²ᵃ   20 fand E²ᵃ   eine E²ᵃ   22 bastand E²ᵃ   Ehre E²ᵃ
Schande E²ᵃ   23 ein] eine E²ᵃ   29 Jude E²ᵃ   32 Kays. E²ᵃ   33
gelanget E²ᵃ   34 ohn E²ᵃ   35 davon E²ᵃ

unter dem Vorwant ein Maß Wein zu trincken/ zu meines
Marquedenters Zelt/ und sahe so bleich und trostloß aus/
als wann er kürtzlich ein Kind bekommen/ und keinem
Vatter/ Meel noch Milch darzu gehabt oder gewüst [140]
hätte; seine traurige Blick und seine sehnliche Seufftzer   5
waren seine beste Sprach/ die er mit mir redet/ und da ich
ihn um sein Anliegen fragte/ erkühnete er gleichwol also
zu antworten: ach/ meine allerliebste Frau Hauptmännin!
(dann Courage dorffte er mich nicht nennen) wann ich ihr
mein Anliegen erzehlen solte/ so würde ich sie entweder   10
erzörnen/ daß sie eine ihre holdseelige Gegenwart gleich
wider entzuckt/ und mich in Ewigkeit ihres Anschauens nicht
mehr würdigt/ oder ich würde einen Verweiß meines
Frevels von ihr empfangen/ deren eins von diesen beyden
genugsam wären/ mich dem Tod vollends aufzuopffern;   15
und darauf schwiege er wider stockstill; ich antwortet/
wann euch deren eins kan umbringen/ so kan euch auch
ein jedes davon erquicken; und weil ich euch dessentwegen
verbunden bin/ daß ihr mich/ als wir in den vier Landen
zwischen Hamburg und Lübeck lagen/ von meinen Ehren-   20
schänderen errettet/ so gönne ich euch hertzlich gern/ daß
ihr euch gesund und satt an mir sehen möget; Ach mein
hochgeehrte Frau! antwortet er/ [141] es befindet sich hierinn
gantz das Widerspiel/ dann da ich sie damahls das erste
mahl ansahe/ fieng auch meine Kranckheit an/ welche mir   25
aber dem Tod bringen wird/ wann ich sie nicht mehr sehen
solte! Ein wunderbarlicher und seltzamer Zustand! der
mir zum recompens widerfahren/ dieweil ich mein Hochehrende Frau aus ihrer Gefährlichkeit errettete! Ich sagte/
so müste ich einer grossen Untreu zu beschuldigen seyn/   30
wann ich dergestalt Gutes mit Bösem vergolten hätte?
das sag ich nicht/ antwortet mein Mußquetierer/ ich

3 keinen E²ᵃ. ³ 4 Vatter/kein E²ᵃ gewust E²ᵃ 5 traurigen Blicke
E²ᵃ sehnlichen E²ᵃ 6 Sprache E²ᵃ redete E²ᵃ 7 fragete E²ᵃ
11 eine] mir E²ᵃ 12 entzücken E²ᵃ und *fehlt* E²ᵃ nit E²ᵃ 13
würdigen E²ᵃ ich würde] mir E²ᵃ 14 von ihr empfangen]
geben würde E²ᵃ diesem E¹ 16 schwieg E²ᵃ antwortete E²ᵃ
22 meine E²ᵃ 23 antwortete E²ᵃ 26 den E²ᵃ.³ 28 meine E²ᵃ
30 Untreue E²ᵃ 32 sage E²ᵃ nit/antwortete E²ᵃ Mußquetier E²ᵃ

replicirte/ was habt ihr dann zu klagen? über mich/
über meine Unglückseeligkeit (antwortet er) und über meine
Verhängnus; oder vielleicht über meinen Vorwitz/ über
meine Einbildung/ oder ich weiß selbst nicht über was!

5 Ich kan nicht sagen/ daß die Frau Hauptmännin undanckbar
sey/ dann um der geringen Mühe willen/ die ich anlegte/
als ich den noch lebenden Reuter verjagte/ der ihrer Ehr
zusetzte/ bezahlte mich dessen Verlassenschafft genugsam/
welche mein Hochehrende Frau zuvor des Lebens hochrühm=

10 [142] lich beraubte/ damit er sie ihrer Ehr nicht schändlich
berauben solte: Meine Frau Gebieterin: (sagte er ferner)
Ich bin in einem solchen verwirrten Stand/ der mich so
verwirret/ daß ich auch weder meine Verwirrung/ noch
mein Anliegen/ noch mein oder ihre Beschuldigung/ weniger

15 meine Unschuld/ oder so etwas erleutern möchte/ dardurch
mir geholffen werden könte; Sehet/ allerschönste Dam!
ich sterbe/ weil mir das Glück und mein geringer Stand
nicht gönnet/ ihrer Hoheit zu erweisen/ wie glückseelig ich
mich erkennete/ ihr geringster Diener zu seyn; Ich stunde

20 da wie eine Närrin/ weil ich von einen geringen und noch
sehr jungen Mußquetierer/ solche/ wiewohl untereinander/
und wie er selbst sagte/ aus einem verwirrten Gemüth
lauffende Reden hörete; doch kamen sie mir vor/ als wann
sie mir nichts destoweniger einen muntern Geist und Sinn=

25 reichen Verstand anzeigten/ der einer Gegenlieb würdig/
und mir nicht übel anständig sey/ mich dessen zu meiner
Marquedenterey/ mit welcher ich damahls groß schwanger
gieng/ rechtschaf= [143] fen zu bedienen; derowegen machte
ichs mit dem Tropffen gar kurtz/ und sagte zu ihm/ mein

30 Freund/ ihr nennet mich fürs 1. euer Gebietherin/ fürs
2. euch selbst meinen Diener/ wann ihrs nur seyn köntet;
fürs 3. klagt ihr/ daß ihr ohne meine Gegenwart sterben
müst; daraus nun erkenne ich eine grosse Liebe/ die ihr
vielleicht zu mir traget; Jetzt sagt mir nur/ wormit ich

---

1 habet E²ᵃ   2 antwortete E²ᵃ   5 nit E²ᵃ   7 Ehre zusatzte/be=
zahlete E²ᵃ   9 welchen meine E²ᵃ   10 Ehre nit E²ᵃ   14 noch meine
E²ᵃ   15 so] sonst E²ᵃ   dadurch E²ᵃ   16 Dame E²ᵃ   19 stund E²ᵃ
20 von einem E²ᵃ.³   21 Mußquetier E²ᵃ   22 verwirreten E²ᵃ   25
Gegenliebe E²ᵃ   29 dem guten E²ᵃ   30 eure E²ᵃ   32 klaget E²ᵃ
ohn E²ᵃ   33 müsset E²ᵃ   nun *fehlt* E²ᵃ   ich nun E²ᵃ   34 saget
E²ᵃ   womit E²ᵃ

80

solche Liebe erwidern möge? dann ich will gegen einen
solchen / der mich von meinen Ehrenschändern errettet / nicht
undanckbar erfunden werden; Mit Gegenlieb / sagte mein
Galan; und wann ich dann würdig wäre; so wolte ich
mich vor den allerglückseeligsten Menschen in der gantzen
Welt schätzen. Ich antwortet / ihr habt allererst selbst
bekennet / daß euer Stand zu gering sey / bey mir zu seyn /
den ihr zu seyn wünschet / und was ihr gegen mir mit
weitläufftigen Worten weiters zu verstehen gegeben habt;
was Raths aber? damit euch geholffen / und ich von aller
Bezüchtigung der Undanckbarkeit und [144] Untreu: Ihr
aber euers Leidens entübrigt werden möchtet? Er antwortet /
seines Theils sey mir alles heimgestellt / sintemahl er mich
mehr vor eine Göttin als vor eine irrdische Creatur halte /
von deren er auch jederzeit entweder den Sententz des
Todes oder des Lebens: die Servitut oder Freyheit / ja
alles gern annehmen wolte / was mir nur zu befehlen
beliebte; und solches bezeugte er mit solchen Geberden /
daß ich wol' erachten konte / ich hätte einen Narren am
Strick / der eher in seiner Dienstbarkeit mir zu Gefallen
erworgen: als in seiner libertet ohne mich leben würde.

Ich verfolgte das / was ich angefangen / und unterstunde
zu fischen / dieweil das Wasser trüb war; und warum
wolte ichs nicht gethan haben / da doch der Teuffel selbst
die jenige die er in solchem Stand findet / wie sich mein
Leffler befande / vollends in seine Netze zu bringen unter-
stehet? Ich sage dieß nicht / daß ein ehrlicher Christen=
Mensch / den Wercken dieses seines abgefäimten bösen Feindes
zu folgen / an mir ein Exempel nehmen soll / weil ich ihm
damahls nach= [145] amte / sondern daß Simplicius, dem
ich diesen meinen Lebenslauff allein zueigne / sehe / was er
vor eine Dame an mir geliebt; und höre nur zu Simplex,
so wirst du erfahren / daß ich dir das jenige Stücklein / so

1 einem E³ 3 Gegenliebe E²ª 6 antwortete E²ª habet E²ª 7
bekant E²ª 8 den ihr höher und besser E²ª 9 weitläuffigen E²ª
habet E²ª 11 Untreue E²ª 12 antwortete / seinen E²ª 13 heim=
gestellet E²ª 16 (Servitut) Dienstbarkeit E²ª 18 beliebe E²ª 19
Narrn E²ª 21 Libertet (Freyheit) ohn E²ª 22 unterstund E²ª
26 befand E²ª 30 nachahmete E²ª 31 meinem E³ 32 geliebet E²ª
33 dasjenigen E²ª

du mir im Sauerbrunnen erwiesen/ dergestalt wider ein=
getränckt/ daß du vor ein Pfund so du ausgeben/ wider
ein Centner eingenommen; Aber diesen meinen Galanen
brachte ich so weit/ daß er mir folgende Puncten eingieng
und zu halten versprach.

Erstlich/ solte er sich von seinem Regiment loß würcken/
weil er anderer Gestalt mein Diener nicht seyn könte/ ich
aber keine Mußquetiererin seyn möchte.

Alsdann solte er zweytens bey mir wohnen/ und mir
wie ein anderer Ehemann alle Lieb und Treu seiner
Ehefrauen zu erweisen pflege/ eben desgleichen zu thun
schuldig seyn/ und ich ihme hinwiderum.

Jedoch solte solche Verehligung drittens vor der Christ=
lichen Kirchen nicht ehe bestättigt werden/ ich befände mich
dann zuvor von ihm befruchtet.

Biß dahin solte ich viertens die Meister= [146] schafft
nicht allein über die Nahrung/ sondern auch über meinen
Leib/ ja auch über meinen Serviteur selbsten haben und
behalten/ in aller Maß und Form/ wie sonst ein Mann
das Gebieth über sein Weib habe.

Krafft dessen/ solte er fünfftens nicht Macht haben/
mich zu verhindern/ noch abzuwehren/ viel weniger sauer
zu sehen/ wann ich mit andern Mannsbildern conversire,
oder etwas dergleichen unterstünde/ das sonst Ehemänner
zum eyffern verursachte.

Und weil ich sechstens gesinnet sey/ eine Marquetenterin
abzugeben/ solte er zwar in solchem Geschäffte das Haubt
seyn/ und der Handelschafft wie ein getreuer und fleissiger
Hauswirth/ so Tags/ so Nachts/ emsig vorstehen/ mir
aber das Ober=Commando/ sonderlich über das Gelt/
und ihn selbsten lassen/ und gehorsamlich gedulten/ ja
ändern und verbessern/ wann ich ihne wegen einiger seiner
Saumsal corrigirn würde; In Summa/ er solte von
männiglich vor den Herrn zwar gehalten und angesehen

---

1 Saurbrunn E²ᵃ   eingeträncket E²ᵃ   3 einen E²ᵃ   Galan E²ᵃ
8 aber] auch E²ᵃ   10 ander E²ᵃ   Liebe E²ᵃ   Treue E²ᵃ   11 Ehe=
frau E²ᵃ   12 ihm E²ᵃ   14 Kirche E²ᵃ   eher bestätiget E²ᵃ   25 ver=
ursache E²ᵃ   26 Marquedenterin E²ᵃ   27 Geschäfft E²ᵃ   32 ihn
E²ᵃ   einziger E²ᵃ   33 corrigiren E²ᵃ

werden/ auch solchen Namen und Ehre haben/ aber gegen
mir obenangeregte [147] Schuldigkeit in allweg in Acht
nehmen. Und solches alles verschrieben wir einander.

Damit er auch solcher Schuldigkeit sich allezeit erinnern
möge/ solte er zum sibenden gedulten/ daß ich ihn mit   5
einem sonderbahren Namen nennete/ welcher Nahm aus
den ersten Wörtern des Befehls genommen werden solte/
wormit ich ihn das erste mahl etwas zu thun heissen würde;

Als er mir nun alle diese Puncten eingangen und
zu halten geschworen/ bestättigte ich solches mit einem   10
Kuß/ liese ihn aber vor dißmahl nicht weiter kommen;
darauf brachte er bald sein Abscheid/ ich hingegen griffe
mich an/ und brachte unter einem andern Regiment zu
Fuß zu wegen/ alles was ein Marquedenter haben solte/
und fieng an mit dem Judenspieß zu lauffen/ als wann   15
ich das Handwerck mein Lebtag getrieben hätte.

Das XVI. Capitel.

Wie Spring=ins=felt und Courage miteinander hauseten.

MEin junger Mann liese sich trefflich wohl an/ in
allem dem jenigen wor= [148] zu ich ihn angenommen   20
und zu brauchen hatte; so hielte er auch oben vermelte
Articul so nett/ und erzeigte sich so gehorsam/ daß ich die
geringste Ursach nicht hatte/ mich über ihn zu beschweren;
Ja/ wann er mir ansehen konte/ was mein Will war/
so war er schon bereit solchen zu vollbringen; dann er   25
war in meiner Liebe so gar ersoffen/ daß er mit hörenden
Ohren nit hörete/ noch mit sehenden Augen nit sahe/
was er an mir/ und ich an ihm hatte/ sondern er

6 sonderbarn E²ᵃ   nenne E²ᵃ   Name E²ᵃ   8 womit E²ᵃ   11 ließ
E²ᵃ   12 seinen Abschied E²ᵃ   griff E²ᵃ   15 den E²ᵃ   19 ließ E²ᵃ
21 hielt E²ᵃ   23 Ursache E²ᵃ   24 Wille E²ᵃ   27 nicht E²ᵃ   nicht E²ᵃ

vermeinete vielmehr/ er hätte die allerfrömste/ getreueste/
verständigste und keuscheste Liebste auf Erden/ worzu mir
und ihm dann meine angenommene Mutter/ die er meinetwegen auch in grossen Ehren hielte/ trefflich zu helffen
5 wuste; diese war viel listiger als eine Füchssin/ viel
geitziger als eine Wölffin/ und ich kan nicht sagen/ ob sie
in der Kunst Gelt zu gewinnen oder zu cupplen am
vortrefflichsten gewesen sey; Wann ich ein loß Stücklein
in dergleichen Sachen im Sinn hatte/ und ich mich um
10 etwas scheuete (dann ich wolte vor gar fromm und scham-
hafftig angesehen seyn) so dorffte ichs ihr nur anver= [149]
trauen/ und war damit so viel als versichert/ daß mein
Verlangen ins Werck gestellt würde; dann ihr Gewissen
war weiter als des Rhodiser Colossi Schenckel auseinander
15 gespannet/ zwischen welchen die gröste Schiff ohne Segel-
streichung durch passiren können; einmahl hatte ich grosse
Begierden/ eines jungen von Adel theilhafftig zu seyn/
der selbiger Zeit noch Fendrich war/ und mir seine Liebe
vorlängsten zu verstehen gegeben/ wir hätten eben damahls/
20 als mich diese Lust ankam/ das Läger bey einem Flecken
geschlagen/ wessentwegen so wohl mein Gesind als ander
Volck/ um Holtz und Wasser aus war; mein Marquedenter
aber gieng beym Wagen herum Nissteln/ als er mir eben
mein Zelt aufgeschlagen/ und die Pferd zu nächst bey uns
25 zu andern auf die Wäid lauffen lassen; Weil ich nun
mein Anliegen meiner Mutter eröffnet/ schaffte sie mir
denselben Fendrich/ wiewohl zur Unzeit an die Hand/ und
als er kam/ war das erste Wort/ das ich ihn in Gegen-
wart/ meines Manns fragte/ ob er Gelt hätte/ und da er
30 mit ja antwortet: dann er vermeynte [150] ich fragte
albereit um S. V. den Huren=Lohn: sagte ich zu meinem
Marquedenter/ Spring=ins=felt/ und fange unsern Schecken/
der Herr Fendrich wolte ihn gern bereuten/ und uns

---

4 hielt E²ᵃ   8 loses E²ᵃ   13 gestellet E²ᵃ   wurde E³   15 grösseste
Schiffe E²ᵃ   19 hatten E²ᵃ   21 Gesinde E²ᵃ   24 Pferde E²ᵃ   25
Wäide E²ᵃ   26 eröfnete E²ᵃ   29 Mannes E²ᵃ   30 antwortete E²ᵃ
vermeynete E²ᵃ   32 Schrecken E¹   33 bereiten E³

demſelben abhandlen/ und gleich paar bezahlen; Jndeſſen
nun mein guter Marquedenter gehorſamlich hingieng/
meinen erſten Befelch zu vollbringen/ hielte die alte
Schildwacht/ dieweil wir den Kauff miteinander machten/
und auch einander ritterlich bezahlten; demnach ſich aber
das Pferd nicht von meinem Marquedenter ſo leichtlich/
wie ſeine Marquedenterin vom Fendrich fangen laſſen
wolte/ kam er gantz ermüthet widerum zum Zelt/ eben ſo
ungedultig/ als ſich der Fendrich wegen ſeines langen
Wartens ſtellet; Dieſer Geſchichten halber hat beſagter
Fendrich/ nachgehends ein Lied gemacht/ der Scheck genant/
anfahend/ ach was für unausſprechliche Pein/ etc. mit
welchem ſich in folgender Zeit gantz Teutſchland etliche
Jahr geſchleppt/ da doch niemand wuſte/ woher es ſeinen
Urſprung hatte/ mein Marquedenter aber bekam hierdurch/
Krafft unſerer Heu= [151] raths Notal den Namen Spring-
ins=felt/ und diß iſt eben der Spring=ins=felt/ den du
Simpliciſſime in deiner Lebens=Beſchreibung offtermahl vor
einen guten Kerl rühmeſt; du muſt auch wiſſen/ daß er
alle die jenige Stücklein/ die er und du/ beydes in
Weſtphalen und zu Philippsburg verübet/ und ſonſt noch
vielmehr darzu/ von ſonſt niemand/ als von mir und
meiner alten Mutter gelernet; dann als ich mich mit ihm
paaret/ war er einfältiger als ein Schaaf/ und kam wider
abgeſäimbter von uns/ als ein Luchs und Kern=Eſſig ſeyn mag.

Aber die Warheit zu bekennen/ ſo ſind ihm ſolche
ſeine Wiſſenſchafften nicht umſonſt ankommen/ ſondern er
hat mir das Lehr=Gelt zuvor genug bezahlen müſſen;
Einsmahls da er noch in ſeiner erſten Einfalt war/
diſcurirten/ er/ ich und meine Mutter von Betrug und
Boßheit der Weiber/ und er entblödete ſich zu rühmen/
daß ihn kein Weibsbild betrügen ſolte/ ſie wäre auch ſo
ſchlau als ſie immer wolte; Gleichwie er nun ſeine Einfalt

1 denſelben E²ᵃ.³   baar E²ᵃ   3 hielt E²ᵃ   5 bezahleten E²ᵃ   8 er=
müdet E²ᵃ   10 ſtellete E²ᵃ   Geſchichte E²ᵃ   halben E³   14 Jahre
geſchleppet E²ᵃ   16 unſrer Heurats=Notul E²ᵃ   Heyraths=Notal
E³   Springs=ins=feld E²ᵃ   17 diß] dieſer E²ᵃ   Springs=ins=feld
E²ᵃ   24 paarete E²ᵃ   27 nit E²ᵃ   30 vom E³   31 entblödete nicht
E²ᵃ   32 betriegen E³

hiermit [152] genugsam an den Tag legte/ also bedauchte
mich hingegen/ solches wäre meiner und aller verständigen
Weiber dexterität viel zu nahe/ und nachtheilig geredet;
sagte ihm derowegen unverholen/ ich wolte ihn neunmal
5 vor der Morgensuppe betrügen können/ wann ichs nur
thun wolte; er hingegen vermaß sich zu sagen/ wann ich
solches könte/ so wolte er sein Lebtag mein Leibeigner
Sclave seyn/ und trutzte mich noch darzu/ wann ich solches
zu thun mich nicht unterstünde; doch mit dem Geding/
10 wann ich in solcher Zeit gar keinen Betrug von den neunen
bey ihm anbrächte/ daß ich mich alsdann zur Kirchen
führen: und mit ihm ehrlich copuliren lassen sollte; Nachdem
wir nun solcher Gestalt der Wettung eins worden/ kam ich
des Morgens frühe mit der Suppenschüssel/ darinn das
15 Brod lag/ und hatte in der andern Hand das Messer
samt einem Wetzstein/ mit Begehren er sollte mir das
Messer ein wenig schärpffen/ damit ich die Suppe ein-
schneiden könte; er nahm Messer und Stein von mir/
weil er aber kein Wasser hatte/ leckte er den Wetzstein
20 mit der Zunge/ [153] um selbigen zu befeuchtigen/ da
sagte ich/ nun das walt GOtt/ das ist schon zwey mahl!
Er befremdet sich und fragte/ was ich mit dieser Rede
vermeyne? hingegen fragte ich ihn/ ob er sich dann unserer
gestrigen Wettung nicht mehr zuerinnern wisse? Er ant-
25 wortet ja; und fragte/ ob und womit ich ihn dann schon
betrogen? Ich antwortet/ erstlich machte ich das Messer
stumpff/ damit du es wieder schärffer wetzen müsstest;
zweitens/ zog ich den Wetzstein durch ein Ort/ das du dir
leicht einbilden kanst/ und gab dir solchen mit der Zung zu
30 schläcken/ oho! sagte er/ ists um diese Zeit/ so schweig nur
still/ und höre auf/ ich gib dir gern gewonnen/ und
begehre die restirende Mahl nit zu erfahren.
    Also hatte ich nun an meinem Spring-ins-feld einen
Leibäignen; bey Nacht/ wann ich sonst nichts bessers hatte/

---

5 betriegen E³ 7 Leibeigener E³ 9 nit E²ᵃ 11.Kirche E²ᵃ 12 ehr=
lich] ehelich E²ᵃ 17 schärffen E²ᵃ Suppen E³ 21 walte E²ᵃ 22
befrembdete E²ᵃ 23 unsrer E²ᵃ 24 antwortete E²ᵃ 26 antwor=
tete E²ᵃ 27 mustest E²ᵃ 29 Zunge E²ᵃ 31 gebe E²ᵃ 32 nicht E²ᵃ
33 Springs=ins=feld E²ᵃ

war er mein Mann; bey Tag mein Knecht/ und wann
es die Leute sahen/ mein Herr und Meister überall: Er
konte sich auch so artlich in den Handel und in meinen
humor zu schicken/ daß ich mir die Tage meines Lebens
keinen [154] besseren Mann hätte wünschen mögen/ und ich   5
hätte ihn auch mehr als gern geehlicht/ wann ich nicht
besorget/ er würde dardurch den Zaum des Gehorsams
verlieren/ und in Behaubtung der billichen Oberherrlich-
keit/ die ihm alsdann gebühren würde/ mir hundertfältig
widerum einträncken/ was ich ihm etwan ohnverehlicht zu   10
wider gethan/ und er ohnzweiffel mit grossen Verdruß zu
zeiten verschmertzen müssen; Indessen lebten wir bey und mit-
einander/ so einig/ aber nicht so heilig als wie die liebe
Engel; Mein Mutter versahe die Stelle einer Marquedenterin an meiner Stadt/ ich den Stand einer schönen   15
Köchin oder Kellerin/ die ein Wirth darum auf der Streu
hält/ damit er viel Gäst bekommen möge; Mein Spring-
ins-felt aber/ war Herr und Knecht/ und was ich sonst
haben wolte/ das er seyn solte; Er muste mir glatt
pariren und meiner Mutter Gutachten folgen/ sonst war   20
ihm alles mein Gesind gehorsam als ihrem Herrn/ dessen
ich mehr hielte/ als mancher Haubtmann; dann wir hatten
liderliche Commiß-Metzger bey dem Regiment/ welche lieber
[155] Gelt zu versauffen/ als zu gewinnen gewohnt waren/
darum trang ich mich durch Schmiralia in ihre profession,   25
und hielte zween Metzger-Knecht vor einen/ also daß ich das
Prae allein behielte/ und jene nach und nach Caput spielte/
weil ich einem jeden Gast/ er wäre auch herkommen woher
er immer wolte/ mit einem Stück von allerhand Gattung
Fleisch zu Hülff kommen konnte; ob er es gleich rohe/   30
gesotten/ gebraten oder lebendig haben wollen; gieng es
dann an ein Stelen/ Rauben und Plündern (wie es dann
in den vollen und reichen Italia treffliche Beuten setzt) so
musten nit nur Springinsfelt samt meinem Gesind/ ihre

4 zu *fehlt* E²ᵃ 5 bessern E²ᵃ 6 hatte E³ 7 dadurch E²ᵃ 10 un-
vereheligt E²ᵃ 11 grossem E²ᵃ·³ 14 Meine E²ᵃ 15 anstat meiner
E²ᵃ 17 er] ich E²ᵃ Gäste E²ᵃ 20 pariren E²ᵃ 22 hielt E²ᵃ 24
gewohnet E²ᵃ 26 hielt E²ᵃ Metzger-Knechte E²ᵃ 27 behielt E²ᵃ
30 könnte E¹·²ᵃ obgleich er es rohe E²ᵃ 33 dem E²ᵃ setzte E²ᵃ
34 nicht E²ᵃ

Hälſe daran wagen / etwas einzuholen / ſondern die Courage
ſelbſt fieng ihre vorige Gattung zu leben / die ſie in
Teutſchland getrieben / widerum an / und indem ich dergeſtalt gegen dem Feind mit Soldaten=Gewehr / gegen
5 den Freunden aber im Lager und in den Quartiern mit
dem Judenſpieß fochte / auch wo man mir in aller Freund-
lichkeit offenſivè begegnen wolte / den Schild vorzuſetzen
wuſte / wuchſe mein Beutel [156] ſo groß darvon / daß ich
bey nahe alle Monat einen Wexel von 1000. Cronen
10 nach Prag zu übermachen hatte / und litte ſamt den
Meinigen doch niemahls keinen Mangel; dann ich befliſſe
mich dahin / daß mein Mutter mein Spring=ins=felt / mein
übrig Geſind und vornemlich meine Pferde / zu jederzeit
ihr Eſſen / Trincken / Kleid und Fütterung hatten / und
15 hätte ich gleich ſelbſt Hunger leiden / nackend gehen / und
Tag und Nacht unter dem freyen Himmel mich behelffen
ſollen; hingegen aber muſten ſie ſich auch befleiſſen ein-
zutragen / und in ſolcher Arbeit weder Tag noch Nacht zu
feyern / und ſolten ſie Halß und Kopff darüber verlohren
20 haben.

Das XVII. Capitel.

Was der Courage vor ein lächerlicher Poß widerfuhre /
und wie ſie ſich deßwegen wieder rächete.

SChaue mein Simplice! alſo war ich bereits deines
25 Cammerrathen Spring=ins=felds Matreſſe und Lehr-
meiſterin / da du villeicht deinem Knan noch der Schwein
[157] hüteteſt / und ehe du geſchickt genug wareſt / anderer
Leute Narr zu ſeyn; und haſt dir doch einbilden dörffen /
du habeſt mich im Saurbrunnen betrogen! Nach der erſten
30 Mantuaniſchen Belägerung / bekamen wir unſer Winter-
Quartier in einem luſtigen Städtlein; allwo es bey mir

5 Quartiren E²ª   8 wuchs E²ª   davon E²ª   11 befliß E²ª   12
meine Muter E²ª   13 Geſinde E²ª   14 Kleider E²ª   17 befleiſſigen
E²ª   19 feyren E³   22 Poſſe widerfuhr E²ª   24 Simplici E²ª
25   Cammerrades Spring=ins=feldes E²ª   26   Schweine E²ª
27 eh E²ª   29 Saurbrunn E²ª

anfieng zimlich Kunden Arbeit zu geben/ da vergieng
kein Gasterey oder Schmauß/ dabey sich nicht die Courage
fand/ und wo sie sich einstellete/ da galten die Italiänische
Putani wohl nichts! dann bey den Italiänern war ich
Wildbret und etwas fremds/ bey den Teutschen konte ich   5
die Sprach/ und gegen beyden Nationen war ich viel zu
freundlich/ darneben noch trefflich schön; so war ich auch
nicht so gar hoffärtig und theuer/ und hatte sich niemands
keines Betrug von mir zu besorgen/ dem aber die Ita-
liänerinnen dichte voll stacken: Solche meine Beschaffenheiten   10
verursachten/ daß ich den welschen Huren viel gute Kerl
abspannete die jene verliesen und mich hingegen besuchten/
welches bey ihnen kein gut Geblüt gegen mir setzte;
einsmahls lude mich ein vornehmer Herr zum [158] Nacht=
essen/ der zuvor die berühmteste Putana bedient: Sie aber   15
auch meinetwegen verlassen hatte; solches Fleisch gedachte
mir jene widerum zu entziehen/ und brachte mir derowegen
widerum durch eine Kirschnerin/ bey demselben Nacht=
Imbiß etwas bey/ davon sich mein Bauch blähete/ als
ob er hätte zerspringen wollen/ ja die Leibsdünste trängten   20
mich dergestalt/ daß sie endlich den Ausgang mit Gewalt
öffneten/ und eine solche liebliche Stimm über Tafel hören
liesen/ daß ich mich deren schämen muste/ und so bald
sie die Thür einmahl gefunden/ passirten sie mit einer
solchen Ungestümm nacheinander heraus/ daß es daher   25
donnerte/ als ob etliche Regimenter eine Salve geben hätten;
als ich nun dessentwegen vom Tisch auffstunde/ um hinweg
zu lauffen/ gieng es bey solcher Leibsbewegung allererst
rechtschaffen an; alle Tritt entwischte mir aufs wenigst
einer oder zehen! wiewohl sie so geschwind aufeinander   30
folgten/ daß sie niemand zehlen konte; und ich glaube/
wann ich sie alle wol anlegen: oder der Gebühr nach fein
or= [159] dentlich austheilen könten/ daß ich zwo gantzer

2 keine E²ᵃ   4 wol sonderes E²ᵃ   5 fremdes E²ᵃ   6 Sprache E²ᵃ
8 nit E²ᵃ   niemand E²ᵃ   9 Betrugs E²ᵃ   dem] dessen E²ᵃ   11
verursacheten E²ᵃ   12 besucheten E²ᵃ   13 satzte E²ᵃ   14 lud E²ᵃ
18 widerum fehlt E²ᵃ   Kürschnerin E²ᵃ   20 Leibesdünste träng=
ten E²ᵃ   22 Stimme E²ᵃ   25 Ungestüme E²ᵃ   26 eine solche E³
27 auffstund E²ᵃ   29 Tritte E²ᵃ   wenigste E²ᵃ   31 folgeten E²ᵃ
33 können E²ᵃ   gantze geschlagene Glockenstunden E²ᵃ

geschlagener Glockenstund/ trutz dem besten tambour, den Zapffenstreich darmit hätte/ verrichten mögen; Es wehrete aber ungefehr nur eine halbe Stund/ in welcher Zeit beides Gäst und Auffwarter mehr Qual von dem Lachen als ich von dem continuirlichen Trompeten erlitten.

Diesen Possen rechnete ich mir vor einen grossen Schimpff/ und wolte vor Scham und Unmuth außreissen/ eben also thät auch mein Gast=Herr als der mich zu etwas anders als diese schöne Music zuhalten/ zu sich kommen lassen/ hoch und theuer schwerrent/ daß er diesen affront rächen wolte; Wann er nur erfahren könte/ durch was vor Pfeffer=Körner: und Ameyssen=Eyer=Köch diese Harmonia angestimmt worden wäre; weil ich aber daran zweiffelt/ ob nicht er vielleicht selbst den gantzen Handel angestellt/ sihe/ so sasse ich dort zu protzen/ als wann ich mit den plitzenden Strahlen meiner zornigen Augen alles hätte töden wollen/ biß ich endlich von einem beysitzenden erfuhr/ daß obengedachte Kürschnerin damit umgehen [160] könte/ und weil er sie unten im Hause gesehen/ müste er gedencken/ daß sie irgends von einer eiffersichtigen Damen gedinget worden/ mich einem oder andern Cavallier durch diesen Possen zu verläiten; massen man von ihr wüste/ daß sie eben dergleichen einem reichen Kauffherrn gethan/ der durch eine solche Music seiner Liebsten Gunst verlohren/ weil er sie in ihrer und ander ehrlichen Leute Gegenwart hören lassen; darauf gab ich mich zu Frieden/ und bedachte mich auf eine schleunige Rach/ die ich aber weder offentlich noch grausam ins Werck setzen dorffte/ weil wir in den Quartirn (ohnangesehen/ wie das Land dem Feind abgenommen) gute Ordre halten musten.

Demnach ich nun die Warheit erfahren/ daß es nemlich nit anderst hergangen/ als wie obengedachter Tisch-genoß geargwohnet; als erkundigt ich der jenigen Damen/

---

2 damit E²ᵃ   3 Stunde E²ᵃ   4 Gäste E²ᵃ   Auffwärter E²ᵃ   9 andern E²ᵃ   10 theur schwörende E²ᵃ   12 Ameysen=Eyer=Köche E²ᵃ   13 angestimmet E²ᵃ   14 zweiffelte E²ᵃ   15 angestellet E²ᵃ   saß E²ᵃ   17 tödten E²ᵃ   19 Hauß E²ᵃ   20 eiffersüchtigen E³   21 Dame E²ᵃ   25 anderer E²ᵃ   27 Rache E²ᵃ   29 Quartiren E²ᵃ   unangesehen E²ᵃ·³   32 nicht E²ᵃ   33 geargwähnet E²ᵃ   erkundigte E²ᵃ   ich (1.) E²ᵃ   Dame E²ᵃ

90

die mir den Poſſen hatt zugerichtet/ Handel und Wandel/
Thun und Laſſen/ auf das genaueſte/ als ich immer konte;
und als mir ein Fenſter gewieſen wurde/ daraus ſie bey
Nacht/ denen/ ſo zu ihr wolten/ [161] Audientz zu geben
pflegte/ offenbahrt ich meinen auf ſie habenden Grollen 5
zweyen Officiern die muſten mir/ wolten ſie anders meiner
noch fürderhin genieſſen/ die Rach zu vollziehen verſprechen;
und zwar auf ſolche und kein andere Weiß als wie ich
ihnen vorſchriebe; dann mich deuchte/ es wäre billich/
weil ſie mich nur mit dem Dunſt vexirt/ daß ich ſie mit 10
nichts anders als mit dem Dreck ſelbſt belohnen ſolte; und
ſolches geſchahe folgender Geſtalt; ich lieſe eine rinderne
Blaſen mit dem ärgſten Unrath füllen/ der in den unter-
ſichgehenden Caminen durch M. Aßmuſſen deren Seuberern
zu finden; ſolche ward an eine Stange oder Schwinggerten/ 15
damit man die Nüß herunder ſchlägt/ oder die Rauch-
Camin zu ſäubern pflegt/ angebunden und von dem einen
bey finſterer Nacht: Als der ander mit der Putanen leffelte/
welche oben an ihrem gewöhnlichen Audientz-Fenſter lag/
ihr mit ſolcher Gewalt in das Angeſicht geſchlagen/ daß 20
die Blaſe zerſprang/ und ihr der Speck beydes/ Naſen/
Augen/ Maul/ und ihren Buſen ſamt allen Zierden und
Cleinodien [162] beſudelte; Nach welchem Streich ſo wohl
der Leffler als executor daran lieſſen/ und die Hur am
Fenſter lamentiren lieſſen/ ſo lang ſie wolte. Die Kürſch- 25
nerin bezahlte ich alſo; Ihr Mann war gewohnet alle
Haar und ſolten ſie auch von den Katzen geweſen ſeyn/
ſo genau zuſammen zu halten/ als wann er ſie von dem
güldenen Widerfell auß der Inſul Colchis abgeſchoren

1 hatte E²ᵃ   3 ward E²ᵃ   5 offenbarete E²ᵃ   Groll E²ᵃ   6 Officirern E²ᵃ   7 Rache E²ᵃ   8 keine andre Weiſe E²ᵃ   9 vorſchrieb E²ᵃ
10 vexiret E²ᵃ   11 andern E²ᵃ   12 ließ E²ᵃ   13 Blaſe E²ᵃ   14 Aß-
muß E²ᵃ   Säuberern (Fegern) E²ᵃ   15 Schwinggerte E²ᵃ   16
Nüſſe herunter ſchläget E²ᵃ   herunter E³   17 pfleget E²ᵃ   18
finſtrer E²ᵃ   Putanin E²ᵃ   21 ihn E¹,³   22 und zumahl E²ᵃ   ihren ſchneeweiſſen zarten E²ᵃ   24 daran] davon E²ᵃ   darvon E³
Hure E²ᵃ   25 wolte. (2) E²ᵃ   26 bezahlete E²ᵃ   27 Haare E²ᵃ
dem E¹   denen E²ᵃ   29 göldenen E²ᵃ

hätte/ so gar/ daß er auch kein Abschröblin von dem
Beltzflecklin hinwarff oder in die Dung kommen liesse: Es
wäre gleich vom Biber/ Hasen oder dem Lamm gewesen:
Er hätte solches dann zuvor seiner Haar oder Woll Plutt
5   hinweg beraubt gehabt! und wann er dann so ein paar
Pfund beysammen hatte/ gab ihm der Hutmacher Gelt
darum/ welches ihm auch etwas zu Brößlen ins Hauß
verschaffte/ und wann es gleich langsam und gering kam;
so kam es doch wohl zu seiner Zeit; solches wurde ich
10 von einem andern Kürschner innen/ der mir denselben
Winter einen Beltz fütterte; derowegen bekam ich von
derglei= [163] chen Woll und Haaren so viel/ als genug
war/ und macht eitel Schermesser darauß; als solche
fertig/ oder besser zu erläutern/ als sie mit ihrer Materi wie
15 der Quacksalber ihre Bützlin versehen oder besalbet waren/
liesse ich sie einem von meinen jungen dem Kürschner
unden um sein Secret herum streuen/ als welches zimlich
weit hinauff offen stunde; da nun der Erbßenzehlerischer
Haußhalter diese Klumpen Haar und Woll sonder liegen sahe/
20 und sie vor die Seinige hielte/ konte er sich nicht anderst
einbilden/ als sein Weib muste sie der Gestalt verunehrt
und zu Schanden gemacht haben/ fienge derowegen an
mit ihr zu kollern gleichsam als wann sie albereit
Mantua und Casal verwahrloset und verlohren hätte/ und
25 weil sie ja so beständig als eine Hex leugnete und noch
darzu trutzige Wort gab/ schlug er sie so lederweich/ als
gelind er sonst anderer wilder und bissiger Thieren Felle
bereiten konte/ der Heimischen Katzenbalg zu geschweigen;
Welches mich so wohl conten= [164] tirte/ daß ich keinen
30 dutzent Cronen darvor genommen haben wolte.

---

1 Abschrötlein E²ᵃ   2 Beltzflecklein E²ᵃ   3 von E³   4 zuvor in seine
E²ᵃ   Woll=Bütte E²ᵃ   5 geraubt E²ᵃ   8 wangleich es E²ᵃ   9 ward
ich in/ E²ᵃ   10 innen *fehlt* E²ᵃ   12 Wolle E²ᵃ   13 machte E²ᵃ   14 sie
fehlt E¹·³   15 Quäcksalber E²ᵃ   16 ließ E²ᵃ   17 unten E²ᵃ·³   19
Haare E²ᵃ   Woll] voll E¹·³   und ~ liegen] und zwar sovoll son-
derlinge E²ᵃ   20 hielt E²ᵃ   21 müßte E²ᵃ·³   verunehret E²ᵃ·³   22
gemachet E²ᵃ   fiengen E¹   fing E²ᵃ   25 Hexe E²ᵃ   26 Worte E²ᵃ
28 einheimischen Katzenbälge E²ᵃ   29 kein E²ᵃ·³   30 dutzet E³   da=
vor wolte genommen haben. E²ᵃ

92

Nun war der Apotecker noch übrig/ der meines Ver-
muthens das recept verfertigt hatte/ dardurch ich aus der
Nidere ein so variable Stimme erheben müssen; dann er
hielte Sing-Vögel/ die solche Sachen zur Speise genossen/
so die Würckungen haben sollen/ einen Lermen zu erregen/ 5
wie ich allererst einen erzehlet; Weil er aber bey hohen
und niedern Officiern wohl dran war/ zumahln wir ihn
täglich bey unseren Krancken/ die den Italiänischen Lufft
nicht wohl vertragen konten/ brauchen musten; ich auch
selbst zu sorgen/ ich möchte ihm etwan heut oder morgen 10
in die Cur kommen: als dorffte ich mich nicht kecklich an
ihn reiben; gleichwohl wolte und konte ich so viel Lufft-
Kerls die zwar vorlängst wider in der Lufft zerstoben
waren/ ohngerochen nicht vertauen/ obwohl sie auch andere
riechen müssten/ da gleichwohl sie selbst schon vertaut 15
waren; er hatte einen kleinen gewelbten Neben-Keller unter
seinem Hause/ darinn er allerhand Wahr enthielte/ die zu
ihrer Auf- [165] enthaltung einen solchen Ort erforderten/
dahinein richtete ich das Wasser aus dem Rohrbrunnen/ der
auf dem Platz zu nächst dabey stunde/ durch einen langen 20
Ochsen-Darm/ den ich am Brunnen-Röhrn anbande/ mit
dem andern Ende aber/ zum Kellerloch hinein hencken/
und also/ das Brunnenwasser die gantze lange Winternacht
so ordentlich hineinlauffen liese/ daß der Keller am Morgen
geschwappelt voll Wasser war/ da schwammen etliche Fäßlein 25
Malvasier/ Spannischer Wein/ und was sonst leicht war/
was aber nit schwimmen konte/ lag Manns tieff unter dem
Wasser zu verderben; und demnach ich den Darm vor
Tags wider hinweg nehmen liese/ vermeinte jederman des
Morgens/ es wäre entweder im Keller eine Quell ent- 30
sprungen/ oder dieser Posse seye dem Apotecker durch

---

1 war (3) E²ᵃ   2 verfertiget E²ᵃ   dadurch E²ᵃ   3 eine E²ᵃ
müsten E¹·³   müste E²ᵃ   4 hielt E²ᵃ   7 Officirern E²ᵃ   daran E²ᵃ
zumahlen E²ᵃ   8 die Italiänische E²ᵃ   11 nit E²ᵃ   14 ungerochen
E²ᵃ   verdauen E²ᵃ   15 verdauet E²ᵃ   16 gewölbten E³   17 Hauß
E²ᵃ   Wahren enthielt E²ᵃ   18 erfoderten E²ᵃ   19 Röhrbrunn E²ᵃ
Röhrbrunnen E³   20 stund E²ᵃ   21 ich an die Brunn-Röhre an-
band E²ᵃ   22 hengen E²ᵃ   23 Brunnwasser E²ᵃ   24 ließ E²ᵃ   27
nicht E²ᵃ   29 ließ/vermeynete E²ᵃ   30 ein Quelle E²ᵃ   31 sey E²ᵃ

Zauberey zugerichtet worden. Ich aber wuste es zum besten/ und weil ich alles so wohl ausgerichtet/ lachte ich in die Fäuste/ als der Apotecker um seine verderbte Materialia lamentirte: Und damahls war mirs gesund/ 5 daß der Nah= [166] me Courage bey mir so tieff eingewurtzelt gewesen/ dann sonst hätten mich die unnütze Bursch ohne Zweiffel die General=Fartzern genannt/ weil ichs besser als andere gekönnt.

Das XIIX. Capitel.

10 Gar zu übermachte Gottlosigkeit der gewissenlosen Courage.

DEr Gewinn/ der mir in so mancherley Handthierungen zugieng/ thät mir so sanfft/ daß ich dessen je länger je mehr begehrte; und gleich/ wie es mir allbereit eines Dings war/ ob es mit Ehren oder Unehren geschehe; 15 Also fieng ichs auch an nicht zu achten/ ob es mit GOttes oder des Mammons Hülff besser prosequirt werden mögte; Einmal es galte mir endlich gleich/ mit was für Vörtheilen/ mit was für Griffen: mit was für einem Gewissen und mit was für Handthierungen ich prosperirte/ wann ich nur 20 reich werden möchte; Mein Spring=ins=felt muste einen Roßtäuscher abgeben/ und was er nit wuste/ das must er von mir lernen/ in welcher Profession ich mich tausenterley Schelmstücke/ Diebsgriff und Betrüge [167] gebrauchte; Keine Wahr/ weder von Gold/ Silber/ Edelgesteinen/ 25 geschweige des Zins/ Kupffers/ Getüchs der Kleidung/ und was es sonst seyn mögen/ es wäre gleich rechtmässig erbeutet/ geraubet/ oder gar gestohlen gewesen/ war mir zu köstlich oder zu gering/ daß ich nicht daran stunde/

---

4 mir E²ᵃ   7 Bursche ohn E²ᵃ   General=Fartzerin E³   11 in *fehlt* E¹   mir mit E²ᵃ   Handierungen E³   13 begehrete E²ᵃ   es *fehlt* E²ᵃ   15 ich E²ᵃ   16 Hülffe E²ᵃ   prosequiret E²ᵃ   17 galt E²ᵃˑ³ für *fehlt* E²ᵃ   Vortheilen E²ᵃˑ³   18 für *fehlt* E²ᵃ   für *fehlt* E²ᵃ   19 für *fehlt* E²ᵃ   Handierungen E³   prosperirete E²ᵃ   21 nicht E²ᵃ   muste E²ᵃ   22 tausenderley E²ᵃ   23 Diebsgriffe E²ᵃ   Betrüge=reyen E²ᵃ   24 Wahre E²ᵃ   26 ware E³   28 stund E²ᵃ

ſolches zuerhandeln; und wann einer nicht wuſte wohin
mit dem jenigen/ das er zuverſilbern/ er hätte es
gewonnen wie er wolte/ ſo hatte er einen ſichern Zutritt
zu mir/ wie zu einem Juden/ die den Dieben getreuer
ſeyn/ ſie zu conſervirn, als ihrer Obrigkeit ſelbige zu   5
ſtraffen; Dannenhero waren meine beyde Wägen mehr
einem materialiſten Kram gleich/ als daß man nur koſtbare
Victualia bey mir hätte finden ſollen/ und eben deßwegen
konnte ich hinwiederum auch einen jedwedern Soldaten/
er wäre gleich hoch oder nieder geweſt/ mit dem jenigen   10
ums Gelt helffen; deſſen er benöthigt war; hingegen muſte
ich auch ſpendiren und ſchmieren um mich und meine
Handthierungen zu beſchützen; der Profoß war mein Vatter/
ſeine alte Merr/ (ſeine [168] alte Frau wolt ich ſagen)
meine Mutter; die Obriſtin/ meine gnädige Frau; und   15
der Obriſt ſelbſt/ mein gnädiger Herr/ welche mich alle
vor allem dem jenigen ſicherten/ dardurch ich und mein
Anhang oder auch meine Handelſchafft einbüſſen mögen.

Einsmahls brachte mir ein alter Hünerfänger/ ich
wolte ſagen/ ſo ein alter Soldat/ der lang vor dem   20
Böhmiſchen Unweſen eine Mußquet getragen hatte/ ſo
etwas in einem verſchloſſenen Gläßlein/ welches nicht
recht einer Spinnen und auch nicht recht einem Scorpion
gleich ſahe; ich hielte es vor keine Inſect oder lebendige
Creatur/ weil das Glaß keinen Lufft hat/ dardurch das   25
beſchloſſene Ding ſein Leben hätte erhalten mögen/ ſondern
vermeinte/ es wäre irgends ein Kunſt=Stuck eines vor-
trefflichen Meiſters/ der ſolches zugerichtet/ um dardurch ein
Gleichnus/ ich weiß nit von was vor einer ewigwährenden
Bewegung vorzuſtellen/ weil ſich daſſelbe ohn Unterlaß im   30
Glaß regte und herum grabelte; ich ſchätzte es hoch/ und
weil mirs der alte zuverkauffen anbotte/ fragte ich/ wie
theuer? Er botte [169] mir den Bettel um zwo Cronen/ die

———————
4 einem] denen E²ᵃ   5 conſerviren E²ᵃ   ihre E²ᵃ   9 einem E³   10
ware E³   geweſen E²ᵃ   13 Handierungen E³   14 Mehre E²ᵃ
wolte E²ᵃ   16 Obriſter E²ᵃ   17 dadurch E²ᵃ   20 wolt E³   23
Spinne E²ᵃ   24 hielt E²ᵃ.³   25 keine E²ᵃ   hatte/dadurch E²ᵃ   27
vermeynete E²ᵃ   Kunſt=Stücke E²ᵃ   28 dadurch E²ᵃ   29 nicht E²ᵃ
31 regete E²ᵃ   32 anbot E²ᵃ   33 bot E²ᵃ

ich ihm auch alſobalden darzahlte/ und wolte ihm noch ein
Feltmaß Wein darzu ſchencken/ er aber ſagte/ die Be-
zahlung ſeye allbereit zu Genügen geſchehen; welches mich
an einen ſolchen alten Weinbeiſſer verwunderte/ und ver-
5 urſachte/ ihn zu fragen/ warum er einen Trunck ausſchlüge/
dann ich doch einem jeden im Kauff zu geben pflegte/ der
mir nur das geringſte verhandelte? Ach Frau Courage
antwortet er/ es iſt hiermit nicht wie mit anderer Wahr
beſchaffen/ ſie hat ihren gewiſſen Kauff und Verkauff/
10 vermög deſſen/ die Frau zuſehen mag/ wann ſie diß
Kleinod wider hingibt/ daß ſie es nemlich wolfeiler ver-
kauffe/ als ſie es ſelbſten erkaufft hat; Ich ſagte/ ſo
würde ich auf ſolche Weiß wenig daran gewinnen! Er
antwortet/ darum laſſe ich ſie ſorgen; was mich anbelangt/
15 ſo hab ichs allbereit bey 30. oder mehr Jahren in Händen/
und noch keinen Verluſt dabey gehabt/ wiewohl ichs um
3. Cronen kaufft/ und um 2. wider hingeben/ diß Ding
war mir ein Geſäg/ darein ich mich nicht richten konte/
oder vielleicht [170] auch nicht richten wolte: dann weil ich
20 ein ſatten Rauſch zu gewarten hatte/ ich würde etliche
Abgeſante der Venere abzufertigen kriegen/ war mirs eine
deſto geringere Bekümmernuß; oder (lieber Leſer/ ſag mir
ſelbſt/ wie ich ſagen ſoll) ich wüſte nit/ was ich mit dem
alten Kracher machen ſolte; Er deuchte mich nicht Manns
25 genug zu ſeyn/ die Courage zu betrügen/ und die Ge-
wonheit/ daß mir andere/ die ein beſſer Anſehen als
dieſer hatte/ offt etwas um ein Ducaten hingeben/ das
deren hundert werth war/ machte mich ſo ſicher/ daß ich
mein erkaufften Schatz einſteckte;
30 Des Morgens/ da ich meinen Rauſch verſchlaffen/ ſande
ich meinen Kauffmann-Schatz in meinem Hoſenſack (dann
man muß wiſſen/ daß ich allzeit Hoſen und meinen Rock

---

1 alſobald E²ª   3 ſey E²ª   4 einem E²ª   verurſachete E²ª   6
dann] den E²ª   pflege E²ª   7 verhandele E²ª   8 antwortete E²ª
andrer Wahre E²ª   10 vermöge E²ª   11 hingibet E²ª   13 Weiſe
E²ª   14 antwortete E²ª   anbelanget E²ª   15 habe E²ª   17 hingegeben E²ª   18 Geſag E³   20 einen E²ª   wurde E³   22 ſage E²ª
23 wuſte E³   27 einen E²ª   hingegeben E²ª   29 meinen E²ª   30
fand E²ª   32 allezeit E²ª

trug) ich erinnerte mich gleich welcher Gestalt ich das
Ding kaufft hatte / legte es derowegen zu andern meinen
raren und lieben Sachen / als Ringen / Cleinodien / und
dergleichen / um solches aufzuheben / biß mir etwan ein
Kunst=Ver= [171] ständiger an die Hand käme / der mich   5
um seine Beschaffenheit berichtete; als ich aber ungefehr
unter Tags wieder in meinen Sack griffe / fande ich
dasselbe nicht / wohin ichs aufgehoben / sondern wieder in
meinem Hosensack / welches mich mehr verwunderte / als
erschreckte / und mein Fürwitz zu wissen / was es doch   10
eigentlich wäre / machte / daß ich mich fleissig nach dessen
Verkäuffer umsahe / und als derselbe mir aufftiese / fragte
ich ihn / was er mir zu kauffen gegeben hätte? Erzehlte
ihm darneben / was vor ein Wunderwerck sich damit
zugetragen / und bat ihn / er wolte mir doch desselben   15
Wesen / Krafft / Würckung / Künste / und wie es umständlich
damit beschaffen / nicht verhalten; Er antwortet: Frau
Courage! es ist ein dienender Geist / welcher dem jenigen
Menschen / der ihn erkaufft / und bey sich hat / groß Glück
zu wegen bringt; Er gibt zu erkennen / wo verborgene   20
Sachen liegen; Er verschafft zu jedwederer Handelschafft
genugsame Kauffleute und vermehret die prosperität: Er
macht daß seine Besi= [172] tzer von seinen Freunden
geliebt: und von seinen Feinden geförchtet werden; ein
jeder der ihn hat / und sich auf ihn verläst / den macht er   25
so fest als Stahl / und behütet ihn vor Gefängniß; Er
gibt Glück / Sieg und Uberwindung wider die Feinde /
und bringt zu wegen / daß seinen Besitzer fast alle Welt
lieben muß; In Summa / der alte Lauer schnitte mir so
einen Hauffen daher / daß ich mich glückseliger zu seyn   30
dauchte / als Fortunatus mit seinem Seckel und Wünsch=

7 griff / fand E²ᵃ   8 nit E²ᵃ   12 aufftieß E²ᵃ   13 Erzehlete E²ᵃ
17 antwortete E²ᵃ   20 zuwege bringet E²ᵃ   gibet E²ᵃ   21 verschaf=
fet E²ᵃ   jedweder E²ᵃ   23 machet E²ᵃ   24 geliebet E²ᵃ   gefürch=
tet E³   25 machet E²ᵃ   26 Stahl und Eisen E²ᵃ   Gefängnüß E²ᵃ
27 gibet E²ᵃ   28 bringet zuwege E²ᵃ   Beysitzer E³   29 In Sum=
ma] Kurtzab E²ᵃ   Laur schnitt E²ᵃ   31 Wünschhütlein E²ᵃ

hütel! Weil ich mir aber wohl einbilden können/ daß der
so genannte dienende Geist diese Gaben nit umsonst geben
würde; So fragte ich den Alten/ was ich hingegen dem
Ding zu Gefallen thun müste? dann ich hätte gehöret/
5 daß die jenige Zauberer/ welche andere Leute in Gestalt
eines Galgenmännels bestehlen/ das so genannte Galgen=
männel mit wochentlicher gewisser Bad=Ordnung und anderer
Pfleg verehren müsten; Der Alte antwortet/ es dörffte des
Dings hier gar nicht; Es sey viel ein anders mit einem
10 solchen Männel/ als mit einem solchen Ding/ das ich von
ihm gekaufft [173] hätte; Ich sagte/ es wird ohne Zweiffel
mein Diener und Narr nicht umsonst seyn wollen; Er
solte mir nur kecklich und verträulich offenbahren/ ob ichs
so gar ohne Gefahr/ und auch so gar ohne Belohnung
15 haben: und solcher seiner ansehenlichen Dienste ohne andere
Verbindung und Gegendienste geniessen könte? Frau
Courage antwortet der Alte: Ihr wüst bereits genug/
daß ihrs nemlich um geringern Preiß hingeben sollt (wann
ihr dessen Diensten müd seyd) als ihrs selbsten erkaufft
20 habt/ welches ich euch gleich damahls als ihr mirs ab=
gehandelt nicht verhalten habe; die Ursach zwar/ warum?
mag die Frau von andern erfahren; und damit gieng der
Alte seines Wegs.
    Meine Böhmische Mutter war damals mein innerster
25 Rath/ mein Beicht=Vatter/ mein favorit mein bester
Freund/ und mein Sabud Salomonis, ihr vertrauet ich
alles/ und also auch/ was mir mit dem erkaufften Marck=
schatz begegnet wäre; he/ antwortet sie/ es ist ein Stirpitus
flammiliarum, der alles das jenige leistet/ was [174] euch
30 der Verkauffer von ihm erzehlet/ allein wer ihn hat/ biß
er stirbt/ der muß/ wie mir gesagt worden/ mit ihm in
die ander Welt reissen/ welches ohne Zweiffel seinen

---

2 nicht E²ª   6 Galgenmänleins E²ª   Galgenmänlein E²ª   8
Pflege E²ª   antwortete E²ª   10 Mänlein E²ª   11 ohn E²ª   14
ohn E²ª   ohn E²ª   15 ohn andre E²ª   17 antwortete E²ª   wisset
E²ª   wißt E³   18 sollet E²ª   19 Dienste E²ª   20 welchs E³   21
Ursache E²ª   25 Beich=Vater E²ª   26 vertraute E²ª   28 ware E³
antwortete E²ª   31 stirbet E²ª   32 andre E²ª   ohn E²ª   seinem
E²ª

Nahmen nach/ die Höll ſeyn wird/ allwo es voller Feuer
und Flammen ſeyn ſoll; und eben deswegen läſt er ſich
nicht anderſt als je länger je wolfeiler verkauffen/ damit
ihm endlich der letzte Kauffer zu Theil werden müſſe;
und ihr liebe Tochter! ſtehet in groſſer Gefahr/ weil ihr   5
ihn zum allerletzten zu verkauffen habt; dann welcher
Narr wird ihn von euch kauffen/ wann er ihn nit mehr
verkauffen darff/ ſondern eigentlich weiß/ daß er ſeine
Verdammnuß von euch erhandelt? Ich konte leichtlich
erachten/ daß mein Handel ſchlimm genug beſtellt war/   10
doch machte mein leichter Sinn/ meine blühende Jugend/
die Hoffnung eines langen Lebens: und die gemeine Gott=
loſigkeit der Welt/ daß ich alles auf die leichte Achſel
nahm; ich gedachte/ du wilſt dieſer Hülffe: Dieſes Bey=
ſtands und dieſer glückſeeligen avvantage genieſſen/ ſo lang   15
du kanſt; Indeſſen findeſt du wol einen leichtfertigen Ge-
[175] ſellen in der Welt/ der entweder beym ſchweren
Trunck/ oder aus Armuth/ deſperation, blinder Hoffnung/
groſſen Glückes/ oder aus Geitz/ Unkeuſchheit/ Zorn/ Neid/
Rachgier/ oder etwas dergleichen dieſen Gaſt wieder von   20
dir um die Gebühr annimmt!

Dieſen nach/ gebrauchte ich mich deſſen Hülff/ in aller
Maß und Form/ wie er mir beydes von dem alten Ver=
käuffer/ als auch meiner Koſtfrauen oder angenommenen
Böhmiſchen Mutter beſchrieben worden; Ich verſpührte   25
auch ſeine Würkung täglich; dann wo ein Marquedenter
ein Faß Weins auszapffte/ vertrieb ich deren drey oder
vier; wo ein Gaſt einmahl meinen Tranck oder meine
Speiſſe koſtete/ ſo bliebe er das andermal nit aus! welchen
ich anſahe/ und wünſchte ſeiner zu genieſſen; derſelbe war   30
gleich fix und fertig/ mir in der allerunterthänigſten An=
dacht aufzuwarten/ ja mich faſt wie eine Göttin zu ehren;
kam ich in ein Quartier/ da der Haußwirth entflohen:

---

1 Hölle E²ᵃ 2 läſſet E²ᵃ 3 nit E²ᵃ 4 letzter E³ müſte E³ 6 ha=
bet E²ᵃ 9 erhandele E²ᵃ 10 beſtellet E²ᵃ 11 Sinn/meiner E³
13 Achſe E³ 14 Beyſtandes E²ᵃ 15 accantage E¹·³ 18 deſperation,
(Unmuth und Verzweifelung) E²ᵃ 22 Dieſem E²ᵃ Hülffe E²ᵃ 23
Maſſe E²ᵃ 24 Koſtfrau E²ᵃ 25 verſpürete E²ᵃ 29 blieb E²ᵃ nicht E²ᵃ

oder daß es sonsten ein Herberg oder verlassene Wohnung
war/ darinn sonst niemand wohnen konte (mas- [176] sen
man die Marquedenter und Commiß=Metzger in keinem
Pallast zu logiren pfleget) so fande ich gleich/ wo das
Messer steckte/ und weiß nit durch was vor ein innerliches
Einsprechen/ solche Schätze zu finden/ die in vielen/ villeicht
100. Jahren keine Sonne beschienen etc. Hingegen kan ich
nicht leugnen/ daß auch etliche waren/ die der Courage
nichts nachfragten/ sondern sie vielmehr verachten: Ja ver=
folgten/ als ehreten; ohne Zweiffel darum/ weil sie von
einem grösseren lumen erleuchtet: als ich von meinem
flamine bethört gewesen; solches machte mich zwar witzig/
und lernete mich durch allerhand Nachdencken Philo=
sophirn/ und betrachten/ wie/ was/ und dergleichen! Ich
war aber allbereit in der Gewinnsüchtigkeit/ und allen ihren
nachgehenden Lastern dermassen ertränckt/ daß ichs bleiben
liese/ wie es war/ und nichts zum Fundament zu raumen
gedachte/ darauf meine Seeligkeit bestunde/ wie auch noch;
diß Simplice, sage ich dir zum Uberfluß/ dein Lob zu
bekrönen/ weil du dich in deiner Lebens=Beschreibung gerühmt
hast/ ei= [177] ner Damen im Saurbrunnen genossen zu
haben/ die du doch noch nicht einmahl kantest.

Indessen wurde mein Gelthauffen je länger/ je grösser/
ja so groß! daß ich mich auch bey meinem Vermögen
fürchtete.

Höre Simplice, ich muß dich wieder etwas erinnern;
wärest du etwas nutz gewest/ als wir miteinander im
Sauerbrunnen das Verkehren spielten/ so wärest du mir
weniger ins Netze gerathen/ als die jenige/ die im Schutz
GOttes waren/ da ich den Spirit. famil. hatte.

1 eine Herberge E²ᵃ   3 keinen E²ᵃ   4 fand E²ᵃ   5 stack E²ᵃ   nicht
E²ᵃ   8 wären E¹   9 verachteten E²ᵃ   verfolgeten E²ᵃ   10 ohn
E²ᵃ   11 grössern E²ᵃ   13 Philosophien E¹   philosophiren E²ᵃ   15
Gewinnsüchtigkeit E³   16 erträncket E²ᵃ   17 ließ E²ᵃ   18 bestund
E²ᵃ   19 Simplici E²ᵃ   20 gerühmet E²ᵃ   21 Dame E²ᵃ   Saur=
brunn E²ᵃ   23 ward E²ᵃ   24 Vermügen förchtete E²ᵃ   26 Sim=
plici E²ᵃ   27 gewesen E²ᵃ   28 Saurbrunn E²ᵃ   29 Netz E²ᵃ

Das XIX. Capitel.

Was Spring=ins=felt vor einen Lehrmeister gehabt/ biß er
zu seiner perfection kommen.

Und noch ein anders must du auch wissen Simplice!
nicht nur/ ich gieng den obenerzehlten Weg; sondern
auch mein Spring=ins=felt/ (den du allerdings vor [178]
deinen besten Cammerathen und vor einen praven Kerl in
deiner Lebens=Beschreibung gerühmt hast) muste mir auch
folgen! und was wolts gehindert haben/ oder vor ein
grosses Meerwunder gewesen seyn? Sintemahl andere
meines gleichen lose Weiber/ ihre liderliche Männer (wann
ich anders Männer sagen darff/ ich hätte aber schier fromme
Männer gesagt) eben zu dergleichen losen Stücken Vermögen
(ich will nicht sagen/ zwingen;) ob sie gleich bey ihrer Ver=
mählung keinen solchen Accord eingangen/ wie Spring=ins=
felt gethan; Höre die Histori:
  Als wir vor dem berühmten Casal lagen/ fuhren ich
und Spring=ins=felt/ in eine benachbarte Gräntzstatt die
neutral war/ Victualia einzukauffen/ und in unser Läger
zu bringen; gleichwie nun aber ich in dergleichen Fällen
nicht allein ausgieng/ als ein Nachkömmling der Hieroso=
lymitanischen Bürger zu schachern/ sondern auch/ als ein
Cyprianische Jungfrau meinen Gewinn zu suchen; Also
hat= [179] te ich mich auch wie eine Jesebell heraus gebutzt/
und galte mir gleich/ ob ich einen Ahab oder Jehu ver=
führen möchte; Zu solchem Ende gieng ich in eine Kirche/
weil ich mir sagen lassen/ die meinste Bulschafften würden
in Italia an solchen heiligen Oertern gestifftet und zu
Faden geschlagen; aus Ursach/ daß man die schöne Weiber
daselbsten so liebeswürdig zu seyn scheinen/ sonst nirgends
hinkommen lasse; ich kam neben eine junge Dame zu stehen/
mit deren Schönheit und Schmuck ich zugleich eifferte; weil

5

10

15

20

25

30

---

4 Simplici E²ᵃ 5 oberzehlten E²ᵃ 7 Cammerrad E²ᵃ praven]
wackern E²ᵃ 8 gerühmet E²ᵃ 9 wolte es E²ᵃ 13 gesaget E²ᵃ
vermügen E²ᵃ 14 obgleich sie E²ᵃ 22 Burger E³ eine E²ᵃ
23 Als E³ 25 galt E²ᵃ 27 meiste E²ᵃ 29 Ursache E²ᵃ man
daselbsten E²ᵃ schönen E²ᵃ 30 daselbsten *fehlt* E²ᵃ liebewürdig
E²ᵃ

mich der jenige nicht ansahe/ der ihr so manchen lieb-
reichenden Blick schenkte; Jch gestehe es/ daß mich im
Hertzen verdroß/ daß sie mir vorgezogen/ und ich vor
einem Leimstängler gegen ihr/ wie ich mir einbildete/ ver-
5   achtet werden solte! Solcher Verdruß/ und daß ich mich
zugleich auf eine Rache bedacht/ war meine gröste Andacht
unter dem gantzen Gottesdienst; ehe nun solcher gar geendigt
war/ stellte sich mein Spring-ins-felt auch ein; Jch weiß
[180] aber darum nit/ warum? kan auch schwerlich glauben/
10   daß ihn die Gottesfurcht dahin getrieben/ dann ich hatte
ihn nicht darzu gewöhnet; so wars ihm auch weder an-
gebohrn/ noch aus Lesung der heiligen Schrifften/ oder
Hörung der Predigten eingepflantzt; nichts destoweniger stellte
er sich neben mich/ und kriegte den Befehl von mir in ein
15   Ohr/ daß er Achtung geben solte/ wo gemelte Dame ihre
Wohnung hätte/ damit ich des überaußschönen Smaragds
den sie am Hals hatte/ habhafft werden möchte.

Er thät seinem schuldigen Gehorsam Gemäß/ wie ein
treuer Diener/ und hinderbrachte mir/ daß sie eine vor-
20   nehme Frau/ eines reichen Herrn wäre/ der sein Palatium
an den Marckt stehen hätte; ich hingegen sagte ihm aus-
trücklich/ daß er fürderhin weder meiner Huld länger
geniessen/ noch meinen Leib einigmahl mehr berühren solte/
es wäre dann Sach/ daß er mir zuvor ihren Smaragd
25   einhändigte/ worzu ich ihn aber sichere Anschläg/ Mittel
und Gelegenheit an die Hand ge- [181] ben wolte. Er
kratzte sich zwar hinder den Ohren/ und entsetzte sich vor
meinem Zumuthen/ als wie vor einer unmüglichen Sach;
aber da es lang herum gieng/ erklärt er sich meinetwegen
30   in Tod zu gehen.

---

1 liebreizenden E²ª   4 eine Leimstänglerin E²ª   6 grösseste E²ª   7
eh E²ª   8 stellete E²ª   Springs-ins-feld E²ª   9 nicht E²ª   10 Got-
tesforcht E²ª   11 war es E²ª   angeboren E²ª   13 eingepflantzet
E²ª   stellete E²ª   19 hinterbrachte E²ª.³   21 dem E²ª.³   Marck
E²ª   außdrücklich E²ª   22 förderhin E²ª   fürterhin E³   Hulde
E²ª   23 einzigmahl E²ª   24 Sache E²ª   25 ihm E²ª.³   Anschläge
E²ª   27 hinter E²ª   entsatze E²ª   28 Sache E²ª   29 erklärete E²ª

Solcher Gestalt / Simplice! hab ich deinen Spring-ins-
felt / gleichsam wie einen jungen Wachtelhund abgerichtet;
Er hatte auch die Art darzu / und vielleicht besser als du /
wäre aber nimmermehr von ihm selbsten zu einem solchen
Ausbund worden / wann ich ihn nicht in meiner Schul
gehabt hätte.

Eben damahls muste ich mir wieder einen neuen Stihl
in meinen Fausthammer machen lassen / welchen ich beydes
vor ein Gewehr und einen Schlüssel brauchte / der Bauren
Trög oder Kästen zu öffnen / wo ich zukommen konte; ich
liese denselben Stihl inwendig hol drehen / in gemessener
Weite / daß ich entweder Ducaten / oder eine Schiedmüntz
in selbiger Gröse hinein packen möchte / dann weil ich
selbigen Hammer jederzeit bey mir zu haben [182] pflegte
(indem ich weder ein Degen dorffte / oder ein paar Pistolen
mehr führen wolte) so gedachte ich ihn inwendig mit
Ducaten zu spicken / die ich auf alle Glücks / oder Unglücks-
Fäll (deren es unterschiedliche im Krieg abgibt) bey der
Hand hatte; da er fertig / probierte ich seine Weite mit
etlichen Lucern / die ich zu mir genommen / solche um ander
Gelt zu veralienieren; die Hole meines Stabs hatte eben
die Weite ihres Beziercks / doch also eng und beschnitten /
daß ich sie die Lucer um etwas hinein nöthigen muste /
doch bey Weitem nicht so starck / als wann man eine halbe
Carthaunen laden thut; Ich konnte aber den Stihl nicht
damit ausfüllen / weil ihrer zu wenig waren / dahero kams
gar artlich / daß / wann die Lucer gegen dem Hammer
lagen / und ich das Eissen in der Hand hatte / mich des
Stihls an statt eines Steckens zu gebrauchen / daß zuweilen /
wann ich mich darauf steuerte / etlich Lucer herunter gegen
der Handhaben klunckerten / und ein dünsteres Geklingel
machten / welches seltzam und verwunderlich genug lautet /

1 Simplici! habe E²ᵃ Springs-ins-feld E²ᵃ 5 Schule E²ᵃ 10
Tröge E²ᵃ 11 ließ E²ᵃ 12 Schiedmüntze E²ᵃ 15 weder einen E²ᵃ
17 Unglücks-Fälle E²ᵃ 18 obgibt E¹ abgiebet E²ᵃ 19 probirete
E²ᵃ 20 Lucernen E²ᵃ 21 zuveralieniren (umzusetzen) E²ᵃ Höle
E²ᵃ 25 Carthaune ladet E²ᵃ nit E²ᵃ 30 etliche E²ᵃ 31 Hand-
habe kluckerten E²ᵃ düsteres E²ᵃ 32 lautete E²ᵃ.³

weil niemand wuſte/ [183] woher das Gethön rührete; Was
darffs vieler weitläufftigen Beſchreibung? Jch gab meinen
Spring=ins=felt den Fauſt=Hammer/ mit einer richtigen
Instruction, welcher Geſtalt er mir den Smaragd damit
erhandeln ſolte.

Darauf verkleidet ſich mein Spring=ins=felt/ ſetzt eine
Parücke auf/ wickelt ſich in einem entlehnten ſchwartzen
Mantel/ und thät zween gantzer Tag nicht anders/ als
daß er gegen der Damen Palatio hinüber ſtunde/ und das
Haus vom Fundament an/ biß übers Dach hinaus be=
ſchauete/ gleichſam als ob ers hätte kauffen wollen; So
hatte ich auch einen Tambour im Taglohn beſtellt/ welcher
ein ſolcher Ertzeſſig war/ mit dem man andere Eſſig hätte
ſauer machen können/ der dorffte auch ſonſt im geringſten
nichts thun/ als auf den Platz herum vagieren/ und auf
meinen Spring=ins=felt Achtung zu geben/ wann er etwann
ſeiner nothwendig bedörffte/ dann der Vogel redete ſo gut
Jtaliäniſch/ als Teutſch/ welches aber jener nicht konte;
[184]; Jch ſelbſten aber hatte ein Waſſer/ (hier ohn=
nöthig zu nehmen)/ durch einen Alchimiſten zu wegen
gebracht/ daß in wenig Stunden alle Metalla durchfriſt/
und mürb macht/ oder wohl gar auch zu Waſſer reſolvirt;
mit demſelben beſtrich ich ein ſtarck Gegitter vor einem
Kellerloch; Als nun dem dritten Tag Spring=ins=felt noch
nit abließe/ das Haus anzugaffen wie die Katz ein neu
Scheuer=Thor/ ſihe/ da ſchickte angeregte Dame hin/ und
ließe fragen/ um die Urſach ſeines continuirlichen Daſtehens/
und was er an ihrem Haus auszukundſchafften hätte?
Spring=ins=felt hingegen ließe bemelten Tambour kommen/

1 Gethöne E²ᵃ   2 darff es E²ᵃ   weitläuffigen E²ᵃ   meinem E²ᵃ·³
3 Springs=ins=feld E²ᵃ   6 verkleidete E²ᵃ·³   Springs=ins=feld/ſatzt
E²ᵃ   7 wickelte E²ᵃ   einen E²ᵃ·³   8 Tage E²ᵃ   nichts E²ᵃ·³   9
Dame E²ᵃ   ſtund E²ᵃ   12 beſtellet E²ᵃ   13 Eſſige E²ᵃ   14 ſonſten
E²ᵃ   15 dem E²ᵃ·³   16 zu *fehlt* E³   18 nit E²ᵃ   19 unnöthig E²ᵃ
20 nehmen *vielleicht Druckf. für nennen* E²ᵃ·³   zuwege E²ᵃ   22
mürbe machet E²ᵃ   24 den E²ᵃ·³   25 abließ E²ᵃ   Katze E²ᵃ   neues
Scheunthor E²ᵃ   27 ließ E²ᵃ   Urſache E²ᵃ   Darſtehens E²ᵃ   29
ließ E²ᵃ

und Dolmetſchen / daß ein ſolcher Schatz im Hauſe verborgen lege / den er nicht allein zu erheben: ſondern auch
eine gantze Stadt damit reich zu machen getrauete; Hierauf
lieſe die Dame beydes den Spring-ins-felt und den Tambour zu ſich ins Hauſe kommen / und nach dem ſie wieder   5
von dem verborgenen Schatz Spring-ins-felts Lügen angehört / und [185] groſſe Begierten geſchöpfft / ſolchen zu
holen / fragte ſie den Tambour / was dieſer vor einer wäre /
ob er ein Soldat ſey / und dergleichen / etc. Nein / antwortet der Tauſend-Schelm / er iſt ein halber Schwartz-   10
künſtler / wie man ſagt / und hält ſich nur zu dem Ende
bey der Armee auf / damit er verborgene Sachen finde /
hat auch / wie ich gehöret / in Teutſchland auf alten
Schlöſſern gantze eiſſerne Trög und Käſten voll Gelt
gefunden / und zu wegen gebracht; Im übrigen aber / ſeye   15
er Spring-ins-felt ihme Tambour gar nicht bekant.

In Summa / nach langem Diſcurs / wurde die Glock
gegoſſen und beſchloſſen / daß Spring-ins-felt den Schatz
ſuchen ſolte; Er begehrte zwey geweyhte Wachsliechter / er
ſelbſt aber zündete das dritte an / welches er bey ſich hatte /   20
und vermittelſt eines meſſenen Drahts / der durch die Kertze
gieng / ausleſchen konte / wann er wolte; mit dieſen dreyen
Liechtern / giengen die Dame / zween ihrer Diener Spring-
ins-felt / und der Tambour / im Haus herum zu leuchten /
weil eben der [186] Herr nicht zu Hauß war / dann Spring-   25
ins-felt hatte ſie überredet / wo der Schatz lege / da würde
ſeine Kertzen von ſich ſelbſt ausgehen; da ſie nun viel
Winckel alſo Proceſſions-Weiß durchſtrichen / und Spring-
ins-felt an allen Orten da ſie hingeleuchtet / wunderbarliche
Wörter gebrummelt / kamen ſie endlich in den Keller / alwo   30
ich das eiſſerne Gegitter mit meinem A. R. befeuchtet hatte /

1 Hauß E²ª 4 ließ E²ª beyde E²ª 5 Hauß E²ª 6 Spring-ins-
feldes E²ª angehöret E²ª 7 Begierden E²ª.³ geſchöpfet E²ª
9 antwortete E²ª 11 ſaget E²ª 13 gehört E³ 14 Tröge E²ª 15
zuwege E²ª ſey E²ª 16 ihm E²ª nit E²ª 17 In Summa] Kurtz
E²ª ward E²ª Glocke E²ª 19 begehrte E²ª geweyhete E²ª
23 Damen E²ª 26 wurde E³ 27 Kertze E²ª 28 Proceſſionsweiſe
E²ª 31 eiſern E³

da stunde Spring-ins-felt vor einer Mauer/ und indem er
seine gewöhnliche Ceremonien machte/ zuckte er sein Liecht
aus: Da! da! liese er durch den Tambour sagen/ ligt der
Schaß eingemauret! brummelte darauf noch etliche närrische
Wörter/ und schlug etlichmahl mit meinem Fausthammer
an die Mauer/ davon die Lutzer nach und nach so manchen
Streich er an die Mauer thät/ herunter rollten/ und ihr
gewöhnliches Gethön machten; höret ihr/ sagte er darauf/
der Schaß hat abermahl verblühet/ welches alle sieben
Jahr einmahl geschiehet; Er ist zeitig und muß aus-
genommen wer= [187] den/ dieweil die Sonne noch im
Igel gehet/ sonst wirds künfftig vor Verfliessung anderer
sieben Jahr/ umsonst seyn; Weil nun die Dame und ihre
beyde Diener/ 1000. Ayd geschworen hätten/ das Geklingel
wäre in der Mauer gewesen/ als stelten sie meinem Spring-
ins-felt völligen Glauben zu/ und die Dame begehrte an
ihn/ er wolte um die Gebühr den Schaß erheben/ wolte
auch gleich um ein gewisses mit ihm accordirn/ als er
sich aber hören liese/ er pflege in dergleichen Fällen nichts
zu heischen noch zu nehmen/ als was man ihm mit gutem
Willen gebe/ liese es die Dame auch dabey bewenden/ mit
Versicherung/ daß sie ihn dergestalt contentirn wolte/ daß
er damit zu frieden seyn würde.

Demnach begehrte er 17. erlesene Körner Weyrauch/
vier gewäichte Wax-Kertzen/ acht Ellen vom besten Schar-
lach/ einen Diamant/ einen Smaragd/ einen Rubin/ und
einen Saphir / welche Cleinodien ein Weibsbild beydes
in ihrem Jung= [188] fräulichen und freulichen Stand am
Halse getragen hätte/ zweytens/ solte er alleinig in den
Keller geschlossen oder versperrt/ und von der Damen selbst
der Schlüssel zur Hand genommen werden/ damit sie so
wol um ihre Edelgestein und den Scharlach versichert seyn/
als auch er/ biß er den Schaß glücklich zur Hand gebracht/

---

1 stund E²ᵃ   3 ließ E²ᵃ   5 etlichemal E²ᵃ   13 Jahre E²ᵃ   15 stelle=
ten E²ᵃ   16 begehrete E²ᵃ   18 accordiren E²ᵃ   19 ließ E²ᵃ   21 ließ
E²ᵃ   22 contentiren E²ᵃ   24 begehrete E²ᵃ   25 geweyhete E²ᵃ   ge=
weyhte E³   27 Cleinodien einen E¹   einem E²ᵃ   28 jungfer= und
fräulichen E²ᵃ   29 Hals E²ᵃ   solt E³   alleinzig E²ᵃ   30 versper=
ret E²ᵃ   Dame E²ᵃ   32 Edelgesteine E²ᵃ

unverhindert und ohnbeschrien verbleiben möchte; hierauf
gab man ihm und dem Tambour eine Collation/ und
ihme Tambour wegen seines Dolmetschens ein Trinckgelt;
Indessen wurden die begehrte Zugehörungen herbeygeschafft/
nach solchen Spring-ins-feld in Keller verschlossen/ woraus
unmüglich schiene/ einen Kerl zu entrinnen/ dann das
Fenster oder Tagelicht/ so auf die Gasse oder den Platz
gieng/ war hoch und noch darzu mit gedachtem eisernen
Gegitter wohl verwahret/ der Dolmetsch aber ward fort-
gelassen/ welcher gleich zu mir kam/ und mich allen Verlauff berichtete.

Weder ich noch Spring-ins-feld verschlieffen die rechte
Zeit/ darinn die Leute am härtesten zu schlaffen pflegen/
sondern [189] nachdem ich das Gegitter so leicht als einen
Rübschnitz hinweg gebrochen/ liese ich ein Seil hinunder
zu meinem Spring-ins-felt in Keller/ und zoge ihn daran
samt aller Zugehör zu mir herauf/ da ich dann auch den
verlangten schönen Smaragd fande.

Die Beuth erfreuete mich bey weitem nicht so sehr/ als
das Schelmstück/ welches mir so wohl abgangen war; der
Tambour hatte sich bereits den Abend zuvor schon aus
der Stadt gemacht/ mein Spring-ins-felt aber spazierte
den Tag nach vollbrachter Schatzerhebung mit andern in
der Stadt herum die sich über den listigen Dieb ver-
wunderten/ eben als man unter den Thoren Anstalt machte/
solchen zu erhaschen; und nun sihe Simplice solcher Gestalt
ist deines Spring-ins-felts dexterität durch mich zu wegen
gebracht und ausgeübet worden; Ich erzähle dir auch dieses
nur zum Exempel/ dann wann ich dir alle Buben- und
Schelmenstück sagen sollte/ die er mir zugefallen werckstellig
machen müssen; so dorffte ich wetten/ es [190] würde mir
und dir/ wiewol es lustige Schossen seynd/ die Zeit zu
lang werden; Ja/ wann man alles beschreiben solte/ wie

1 unbeschrien E²ᵃ 3 ihm E²ᵃ 4 herbeygeschaffet E²ᵃ 6 schien/
einem E²ᵃ 15 Rübenschnitz E²ᵃ ließ E²ᵃ hinunter E²ᵃ.³ 16
zog E²ᵃ 18 fand E²ᵃ 19 Beuthe E²ᵃ 20 Schelmstücke E²ᵃ 21
schon *fehlt* E²ᵃ 22 gemachet E²ᵃ spazierete E²ᵃ 24 sich] Sach E¹
sich] sich der Sache E²ᵃ 26 Simplici E²ᵃ 27 Spring-ins-feldes
E²ᵃ zuwege E²ᵃ 30 Schelmenstücke E²ᵃ 31 müsten E¹ dörffte
E²ᵃ

du deine Narrenpoſſen beſchrieben haſt/ ſo würde es ein
gröſſer und luſtiger Buch abgeben/ als deine gantze Lebens=
Beſchreibung; doch will ich dich noch ein kleines laſſen
hören.

Das XX. Capitel.

Welcher Geſtalt Spring=ins=feld und Courage zween
Italiäner beſtohlen.

Als wir uns verſahen/ wir würden noch lang vor Caſal
liegen bleiben müſſen/ lachen wir nit nur in Zelten/
ſondern ihrer viel baueten ihnen auch ſonſt Hütten aus
andern Materialien/ ſich deſto beſſer in die Länge zu
behelffen; unter anderen Schacherern befanden ſich zween
Meyländer im Lager/ die hatten ihnen eine Hütte von
Brettern zugerichtet/ ihre Kauffmanns=Wahren deſto ſicherer
darinn zu verwah= [191] ren/ welche da beſtunde in
Schuhen/ Stiffeln/ Kollern/ Hemdern und ſonſt allerhand
Kleidungen/ beydes vor Officirer und gemeine Soldaten
zu Roß und Fuß; dieſe thäten mir meines Bedunckens
viel Abtrag und Schaden/ indem ſie nemlich von den
Kriegs=Leuten allerhand Beuthen von Silbergeſchmeid und
Jubeln um den halben: ja den vierten Theil ihres Werths
an ſich erhandelten/ welcher Gewinn mir zum Theil
zukommen ware/ wann ſie nit vorhanden geweſen; Solches
nun gedachte ich an ihnen aufs wenigſt zu wuchern/ weil
in meiner Macht nit ſtunde/ ihnen das Handwerck gar
niederzulegen.

Unten in der Hütten war die Behaltnus ihrer Wahr/
und daſſelbige war auch zugleich ihr Gaden/ oben auf
dem Boden aber unter dem Dach war ihr Liegerſtatt/
allwo ſie ſchlieſſen; wohinauf ungefehr ſieben oder acht
Staffeln giengen; und durch den Boden hatten ſie ein
offenes Loch gelaſſen/ um dadurch nicht allein deſto beſſer

9 lagen E²a.³ nicht E²a 10 viele E²a 12 andern E³ 13 Läger
E²a 15 beſtund E²a 16 Köllern E²a 18 Bedünckens E²a 21
Jubelen E²a 23 wäre E²a.³ nicht E²a 24 wenigſte E²a 25 nicht
ſtund E²a 27 Hütte E²a Wahre E²a 29 ihre E²a 32 um] und
E¹ nit E²a

108

zu hören / wann etwan Mauser einbrächen / sie zu bestehlen /
sondern auch solche [192] Diebe mit Pistolen zubewill=
kommen / mit welchen sie trefflich versehen waren; Als ich
nun selbst wahrgenommen / wie die Thür ohne sonderlichen
Rumor aufzumachen wäre / machte ich meinen Anschlag   5
gar gering; Mein Spring=ins=felt muste mir eine Welle
scharpffer Dörner in Manns=Länge zuwegen bringen / woran
auch beynahe ein Mann zu tragen hatte / und ich füllete
eine messene Spritze / die eine Feldmaß hielte / mit scharpffem
Essig; also versehen / giengen wir beyde an die gedachte   10
Hütte / als jedermann im besten Schlaff war; die Thür
in der Stille zu öffnen / war mir gar keine Kunst / weil
ich zuvor alles fleissig abgesehen; und da solches vollbracht
und geschehen / stackte Spring=ins=felt die Dorn=Well vor
die Stiegen / als welche vor sich selbst keine Thür hatte /   15
von welchem Geräusch beyde Italiäner erwachten / und zu
rumpeln anfiengen; wir konnten uns wohl einbilden / daß
sie zum ersten zu obigen Loch herunter schauen würden /
alsdann auch geschahe / ich aber spritzte dem einen die
Augen alsobald so voller Essig / daß [193] ihm seine   20
Vorsichtigkeit in einem Augenblick vergieng / der ander
aber lieffe im Hembd und Schlaffhosen die Stiegen hinunter /
und wurde von der Dornwell so unfreundlich empfangen /
daß er / gleichwie auch sein Cammerrath / in solcher un=
versehenen Begebenheit und grossem Schrecken sich nichts   25
anders einbilden konnten / also / es wäre eitel Zauberey
und Teuffels=Gespenst vorhanden; Indessen hatte Spring=
ins=felt ein dutzet zusammen gebundene Reuter Koller
erwischt / und sich damit fort gemacht / ich aber liesse mich
mit einem Stück Leinwath genügen / drehete mich damit   30
aus / und schlug die Thür hinter mir wieder zu; die beyde
Welsche also in ihrer Anfechtung hinterlassen / wovon der
eine ohne Zweiffel die Augen noch gewischt: der ander aber

---

3 welchem E³ 4 ohn E²ᵃ 6 Springs=ins=feld E²ᵃ 7 scharffer E²ᵃ
zuwege E²ᵃ 8 beynah E²ᵃ 9 messings E²ᵃ ein E²ᵃ hielt E²ᵃ
scharffem E²ᵃ 14 Dorn=Welle E²ᵃ 15 Stiege E²ᵃ 18 obigem E²ᵃ
22 lieff E²ᵃ Stiege E²ᵃ 23 ward E²ᵃ Dornwelle E²ᵃ 26 als
E²ᵃ,³ 29 ließ E²ᵃ 30 Stuck E²ᵃ 31 wieder *fehlt* E²ᵃ 32 hinter=
lassende E²ᵃ 33 ohn E²ᵃ gewischet E²ᵃ

noch mit feiner Dornwell zu handeln gehabt haben wird.

    Schaue Simplice, so konnte ichs! und also habe ich
den Spring=ins=felt nach und nach abgerichtet; Ich stahle/
wie gehöret/ nicht aus Noth oder Mangel/ sondern meh-
5 [194] rentheils darum/ damit ich mich an meinen Wider-
wärtigen revangiren möchte/ Spring=ins=felt aber lernete
in deffen die Kunst und kam so meisterlich in die Griff/
daß er sich unterstanden hätte/ alles zu mauffen/ es wäre
dann gar mit Ketten an das Firmament gehäfftet geweffen/
10 und ich lieffe ihn solches auch treulich genieffen/ dann ich
gönnete ihm/ daß er einen eigenen Säckel haben: und
mit dem halben geftohlenen Gut (maffen wir solche Er-
oberungen miteinander theilen) thun und handeln dörffte/
was er wolte; Weil er aber trefflich auf das Spielen
15 verpicht war/ so kam er selten zu groffem Gelt/ und
wann er gleich zu Zeiten den Anfang zu einer ziemlichen
Summa zu wegen brachte/ so verblieb er jedoch die Länge
nicht in Pofleffion, sintemal ihm sein unbeftändig Glück
das Fundament zum Reichthum durch den unbeftändigen
20 Würffel jederzeit wieder hinweg zwackte; Im übrigen
verblieb er mir gantz getreu und gehorsam/ also/ daß ich
mir auch keinen befferen Sclaven in der gantzen Welt zu
finden getrauet hätte; Jetzt höre auch [195] was er damit
verdienet/ wie ich ihm gelohnet/ und wie ich mich endlich
25 wieder von ihm geschieden.

—————
1 Dornwelle E²ᵃ 2 Simplici E²ᵃ 3 stahl E²ᵃ 7 Griffe E²ᵃ 10
ließ E²ᵃ 13 theileten E²ᵃ theilten E³ 16 wangleich er E²ᵃ 17 zu=
wege E²ᵃ 22 beffern E²ᵃ.³

Das XXI. Capitel.

Erzählung eines Treffens/ welches im Schlaff vorgangen.

Kurtz zuvor/ ehe Mantua von den Unsrigen eingenommen wurde/ muste unser Regiment von Casal hinweg (und auch in die Mantuanische Belägerung) daselbsten lieffe mir mehr Wasser auf meine Mühl/ als in dem vorigen Läger/ dann gleich wie alldorten mehr Volck war/ sonderlich Teutsche/ also bekame ich auch mehr Kunden und Kunden= Arbeit/ davon sich mein Gelt=Hauffen wieder ein merckliches geschwinder vergrösserte; So/ daß ich etlichmal Wexel nach Prag und anderswohin in die Teutsche Reichs=Städte übermachte; bey welcher glücklichen Prosperität: grossen täglichen Gewinn und [196] genugsamen Uberfluß/ dessen ich und mein Gesindel genossen/ da sonst mancher Hunger und Mangel leiden muste/ mein Spring=ins=felt anfienge/ allerdings das Junckern Handwerck zutreiben; Er wolte eine tägliche Gewonheit daraus machen/ nur zu fressen und zu sauffen/ zu spielen und zu spatzieren zu gehen und zu faullentzen/ und liesse allerdings die Handelschafft der Marquedenterey: und die Gelegenheiten sonsten irgends etwas zuerschnappen/ ein gut Jahr haben/ über das hatte er auch etliche ungerathene und verschwenderische Cammerrathen an sich gehenckt/ die ihn verführten/ und zu allem dem jenigen untüchtig machten/ worzu ich ihn zu mir genommen/ und auf allerley Art und Weise abgeführet hatte; Ha! sagten sie/ bist du ein Mann/ und lässt deine Hur beydes über dich und das Deinige Meister seyn? Es wäre noch genug/ wann du ein böses Eheweib hättest/ von deren du dergleichen leiden müstest; Wann ich in deinem Hembd verborgen stäcke/ so schlüg ich sie/ biß sie mir parirte/ oder jagte sie vor aller Teuffel hinweg/ etc.

3 eh E²ᵃ   4 ward E²ᵃ   5 lieff E²ᵃ   6 Mühle E²ᵃ   7 alldorten] da= selbst E²ᵃ   8 bekam E²ᵃ   9 sich geschwind E²ᵃ   Geld=Hauffe E²ᵃ   10 geschwinder *fehlt* E²ᵃ   etlichemahl E²ᵃ   13 gnugsamen E²ᵃ   14 Gesinde E²ᵃ   15 anfing E²ᵃ   16 Juncker E²ᵃ   18 zu gehen *fehlt* E²ᵃ   19 ließ E²ᵃ   20 irgend E³   23 Cammerraden E²ᵃ   gehengt E²ᵃ   verführeten E²ᵃ   24 macheten E²ᵃ   26 lässest E²ᵃ   27 Hure E²ᵃ   30 schlüge E²ᵃ   schlug E³   31 alle E²ᵃ

Sol- [197] ches alles vernahm ich bey Zeiten/ mit grossem
Unwillen und Verdruß/ und gedacht auf Mittel und Weg/
wie ich meinen Spring=ins=feld möchte ins Feld springen
machen/ ohne daß ich mich im geringsten etwas dergleichen
gegen ihm oder seinem Anhang hätte vermercken lassen;
Mein Gesind (darunter ich auch vier starcke Tremel zu
Knechten hatte) war mir getreu und auf meiner Seiten;
alle Officierer des Regiments waren mir nit übel gewogen; der
Obrist selbst wolte mir wohl und die Obristin noch viel
besser/ und ich verbande mir alles noch mehrers mit
Verehrungen wo ich vermeinte/ daß ich Hülff zu meinem
künfftigen Haußkrieg zu hoffen hätte/ dessen Ankündigung
ich stündlich von meinem Spring=ins=feld gewärtig war.

Ich wuste wol/ daß der Mann/ welcher mir Spring=
ins=feld aber nur pro forma repraesentiren muste/ das
Haubt meiner Marquedenterey darstellte/ und daß ich
unter dem Schatten seiner Person in meiner Handelschafft
agirte; auch daß ich bald ausgemarquedentert haben würde/
wann [198] ein solches Haupt mir mangelte/ derohalben
gieng ich gar behutsam; Ich gab ihm täglich Gelt/ beydes
zu spielen und zu panquetiren/ nicht/ daß ich die Be=
ständigkeit seiner vorigen Verhaltung bestättigen wollen
/ sondern ihn desto kirrer/ verwegener und ausgelassener
gegen mir zu machen/ damit er sich dardurch verplumpen:
und durch ein rechtschaffenes grobianisches Stückel dem
Besitz meiner und des Meinigen sich unwürdig machen/
mit einem Wort/ daß er mir Ursach geben solte/ mich
von ihme zu scheiden; dann ich hatte allbereit schon so
viel zusammen geschunden und verdienet/ zumahlen auch
anderwertshin in Sicherheit gebracht/ daß ich mich weder
um ihn noch die Marquedenterey; ja um den gantzen
Krieg und was ich noch darinn kriegen und hinweg nehmen
konte/ wenig mehr bekümmerte.

Aber ich weiß nicht/ ob Spring=ins=feld das Hertz nicht
hatte/ seinen Cammerathen zu folgen/ um die Ober-

2 gedachte E²ᵃ Wege E²ᵃ 4 ohn E²ᵃ 6 Gesinde E²ᵃ 8 nit *fehlt*
E¹ nicht E²ᵃ 9 Obrister E²ᵃ 10 verband E²ᵃ 11 vermeynete
E²ᵃ Hülffe E²ᵃ 16 darstellete E²ᵃ 21 panquertiren E³ 24 da=
durch E²ᵃ 25 Stücklein E²ᵃ 27 Ursache E²ᵃ 28 ihm E²ᵃ schon
allbereit E²ᵃ 35 seinem Cammerrad E²ᵃ

112

herrschafft offentlich von mir zu begehren/ oder ob er
sonst in erzehltem seinem liederlichen Leben unacht= [199]
samer Weiß fortfuhre? Dann er stellte sich gar freundlich
und demütig/ und gab mir niemalen kein sauern Blick/
geschweige ein böses Wort! Ich wuste sein Anliegen wohl/ 5
worzu ihn seine Cammerrathen verhetzt hatten. Ich konte
aber aus seinen Wercken nicht spüren/ daß er etwas der=
gleichen wider mich zu unterstehen bedacht gewesen wäre;
doch schickte sichs endlich wunderbarlich/ daß er mich
offendirte/ wessentwegen wir dann/ es sey ihm nun gleich 10
lieb oder leid gewesen/ von einander kamen.

Ich lag einsmals neben ihm und schlieff ohne alle
Sorg/ als er eben mit einem Rausch heimkommen war;
Sihe/ da schlug er mich mit der Faust von allen Kräfften
ins Angesicht/ daß ich nicht allein darvon erwachte/ sondern 15
das Blut lieffe mir auch häuffig zum Maul und der Nasen
heraus/ und wurde mir von selbigem Sträich so törmisch
im Kopff/ daß mich noch wunder gibt/ daß er mir nit
alle Zän in Hals geschlagen; da kan man nun wohl
erachten und abnehmen/ was ich ihm vor eine andächtige 20
[200] Leteney vorbetete/ ich hiesse ihn einen Mörder und
was mir sonst noch mehr von dergleichen erbaren Titul
ins Maul kommen; Er hingegen sagte/ du Hundsf. warum
lässest du mir mein Gelt nicht? Ich hab es ja redlich
gewonnen! und wolte noch immer mehr Stösse hergeben/ 25
also/ daß ich zu schaffen hatte/ mich deren zuerwehren/
massen wir beede im Bette aufrecht zusitzen kamen/ und
gleichsam anfiengen miteinander zu ringen; und weil er
noch fort und fort Gelt von mir haben wolte/ gabe ich ihm
eine kräftige Ohrfeigen: die ihn wieder niderlegte; ich aber 30
wischt zum Zelt hinaus/ und hatte ein solches Lamentiren/
daß nit nur meine Mutter und übriges Gesind: sondern

3 weise fortfuhr E²ᵃ   stellete E²ᵃ   4 keinen E²ᵃ   sauren E²ᵃ.³   6
Cammerraden E²ᵃ   12 ohn E²ᵃ   13 Sorge E²ᵃ   14 allem E¹   15
davon E²ᵃ   16 lieff E²ᵃ   hauffig E³   der] zur E³   Nase E²ᵃ   17
ward E²ᵃ   tormisch E³   18 gibet E²ᵃ   19 Zähne E²ᵃ   21 hieß E²ᵃ
22 Titulen E²ᵃ   23 kamen E²ᵃ   24 nit E²ᵃ   27 beyde E²ᵃ   29 gab
E²ᵃ.³   30 Ohrfeige E²ᵃ   31 wischte E²ᵃ   Lamentirn E³   32 nicht
E²ᵃ   Gesinde E²ᵃ

auch unsere Nachbaren davon erwachten/ und aus ihren
Hütten und Gezelten hervor krochen/ um zusehen/ was da
zuthun oder sonst vorgangen wäre/ dasselbe waren lauter
Personen vom Stab/ als welche gemeiniglich hinter die
Regimenter zu den Marquedenter logirt werden/ nemlich
der Caplan/ Regiments-Schultheiß/ Regiments-Quartier-
meister/ Proviantmeister/ Pro- [201] voß/ Hencker/ Huren-
wäibel und dergleichen/ denen erzehlet ich ein langs und
ein breits/ und der Augenschein gab auch/ wie mich mein
schöner Mann/ ohne einige Schuld und Ursach tractirt;
mein angehender Milchweisser Busem/ war überall mit
Blut besprengt/ und des Spring-ins-felts unbarmhertzige
Faust/ hatte mein Angesicht/ welches man sonst niemahlen
ohne lustreitzende Lieblichkeiten gesehen/ mit einem eintzigen
Streich so abscheulich zugerichtet/ daß man die Courage
sonst nirgends bey/ als an ihrer erbärmlichen Stimme
kennete/ ohnangesehen niemands vorhanden war/ der sie
anderwerts jemahlen hätte klagen hören; man fragte mich
um die Ursach unserer Uneinigkeit und daraus erfolgten
Schlacht/ weil ich nun allen Verlauff erzehlte/ vermeynte
der gantze Umstand/ Spring-ins-felt müste unsinnig worden
seyn: Ich aber glaubte/ er habe dieses Spiel aus Anstifftung
seiner Cammerrathen und Sauffbrüder angefangen/ um
mir erstlich hinter die Hosen: zweytens hinter die Ober-
herrlichkeit/ und letzlich hinter meines vie- [202] len Gelts
zu kommen; Indem wir nun so miteinander bappelten/
und etliche Weiber umgiengen/ mir das Blut zu stellen/
grabelte Spring-ins-felt auch aus unserem Zelt; Er kam
zu uns zum Wacht-Feuer/ das bey des Obristen Bagage
brande/ und wuste bey nahe nicht Wort genug zu
ersinnen und vorzubringen/ mich und jederman wegen

1 erwacheten E²ᵃ 2 um] und E¹ 5 Marquedentern logiret E²ᵃ
6 Caplan] Capitain E³ 8 erzehlete E²ᵃ langes E²ᵃ 9 breites E²ᵃ
gab es E²ᵃ 10 ohn einzige E²ᵃ Ursache tractiret E²ᵃ 11 ange-
hender] anziehender Lieb-und Gunst-reizender E²ᵃ Busen E³ 12
besprenget E²ᵃ Spring-ins-feldes E²ᵃ 14 ohn E²ᵃ 17 kante E²ᵃ
unangesehen E²ᵃ˙³ 19 Ursache unsrer E²ᵃ 20 erzehlete/vermey-
nete E²ᵃ 22 glaubete E²ᵃ 23 Cammeraden E²ᵃ 24 zweytens]
hernach E²ᵃ 25 letztens hinter den Praß E²ᵃ Geldes E²ᵃ 27 zu-
stillen E²ᵃ 28 unserm E²ᵃ 30 brante E²ᵃ˙³ Worte E²ᵃ

114

seines begangenen Fehlers um Verzeihung zu bitten; es
mangelte wenig/ daß er nicht vor mir auf die Knie
niederfiel/ um Vergebung und die vorige Huld und Gnad
wieder von mir zu erlangen/ aber ich verstopffte die Ohren/
und wolte ihn weder wissen noch hören/ biß endlich unser   5
Obrist Leutenant von der Rund darzu kam/ gegen welchen
er sich erbotten/ einen leiblichen Ayd zu schweren/ daß
ihm geträumt hätte/ er wäre auf dem Spielplatz gesessen/
allwo ihm einer um eine zimliche Schantz auf dem Spiel
gestandenen Gelts unrecht thun wollen/ gegen welchem   10
er deßwegen geschlagen/ und wider seinen Willen und
Meynung/ seine liebe unschuldige Frau im Schlaaf getroffen: Der [203] Obrist Leutenant war ein Cavallier/
der mich und alle Huren wie die Pest hasste/ hingegen
aber/ meinem Spring-ins-felt nit ohngewogen war/ dero-   15
wegen sagte er zu mir/ ich solte mich wieder mit ihm
alsobald in die Zelt packen/ und das Maul halten/ oder
er wolte mich zum Provosen setzen/ und wohl gar/ wie
ich vorlängsten verdient/ mit Ruthen aushauen lassen.

Potz Blech/ das ist ein herber Sententz/ dieser Richter   20
nicht viel/ (gedachte ich bey mir selber) aber es schadet
nichts; bist du gleich Obrist Leutenant/ und beydes vor
meiner Schönheit und meinen Verehrungen Schußfrey/ so
seynd doch andere/ und zwar deren mehr/ als deiner/ die
sich gar gern dadurch berücken lassen/ mir Recht zu geben/   25
Ich schwieg so still/ wie ein Meusel/ mein Spring-ins-felt
aber auch; Als dem er sagte/ wann er noch mehrmahl so
kommen würde/ so wolte er ihn bey Tag auf einmahl
dergestalt straffen/ um das was er bey Nacht zu zweyen
mahlen [204] gegen mir gesündigt/ daß er gewißlich das   30
dritte mahl nicht wieder kommen würde; uns beyden zugleich
aber/ sagte er/ wir solten den Frieden machen/ ehe die

3 und um E²ᵃ   Hulde E²ᵃ   Gnade E²ᵃ   4 zuerlangen/bittende
E²ᵃ   6 Obrister E²ᵃ   Runde E²ᵃ   welchem E³   7 zuschwören E²ᵃ.³
8 geträumet E²ᵃ.³   9 Schantze E²ᵃ   10 Geldes E²ᵃ   13 Obrister
E²ᵃ   14 hassete E²ᵃ   15 nicht ungewogen E²ᵃ   17 die] das E²ᵃ
die *fehlt* E³   18 Provos E²ᵃ   19 verdienet E²ᵃ   21 schadete E²ᵃ
22 Obrister E²ᵃ   26 Mäußgen E²ᵃ   30 gesündiget E²ᵃ   32 den
fehlt E²ᵃ   Friede E²ᵃ   eh E²ᵃ

Sonne aufgieng / damit er den künfftigen Morgen kein
Ursach hätte / uns einen Tätigsmann zu geben / aber über
dessen procedere wir uns hinter den Ohren zu kratzen /
würden Ursachen haben. Also giengen wir wieder miteinander zu Bette und hatten beyderseits unsere Stösse /
massen ich dem Spring-ins-felt so wenig gefehret / als er
mir; Er bekräfftigt noch als seinen gehabten Traum mit
grossen Schwüren / ich aber behauptete / daß alle Träume
falsch wären / derentwegen ich aber nichts destoweniger
keine falsche Maulschelle bekommen; Er wolte mit den
Wercken seine Liebe bezeugen / aber der empfangene Streich /
oder vielmehr / daß ich seiner gern loß gewest wäre / entzogen
ihm bey mir alle Willfährigkeit; Ja ich gab ihm auch den
andern Tag nicht allein kein Gelt mehr zum Spielen /
sondern auch zum Sauffen / und sonst wenig guter Wort /
und damit er mir nicht hinder die Batzen [205] käme / die
ich noch bey mir behalten / unser Handelschafft damit zu
treiben / verbarg ich solche hinter meine Mutter / welche
solche so Tags so Nachts wohl eingenähet / auf ihrem
blosen Leib tragen muste.

Das XXII. Capitel.

Aus was Ursachen Spring-ins-felt und Courage sich
gescheiden / und wormit sie ihn zur Letze begabt.

Gleich nach dieser unserer nächtlichen Schlacht / stunde
es wenig Zeit an / daß Mantua mit einem Kriegs-
Possen eingenommen wurde / ja der Fried selbst zwischen
den Röm. Käyserl. und Frantzosen: zwischen den Hertzogen
von Sophoia und Nivers folgte ohnlängst hernach; gleichsam
als wann der welsche Krieg mit unsern Treffen hätte geendigt

---

1 aufginge E²ᵃ   den *fehlt* E²ᵃ   keine Ursache E²ᵃ   2 aber ~ wir]
über dessen procedere aber wir E²ᵃ   7 bekräftigte E²ᵃ   vorgehab-
ten E²ᵃ   12 gewesen E²ᵃ   14 nit E²ᵃ   zu E²ᵃ   15 sunst E³   Worte
E²ᵃ   16 hinter E²ᵃ.³   23 geschieden E²ᵃ   begabet E²ᵃ   24 unsrer
E²ᵃ   stund E²ᵃ   26 ward E²ᵃ   Friede E²ᵃ   27 zwischen dem E³
Hertzog E²ᵃ   28 Saphoja E³   folgte unlängst E²ᵃ   29 unserm E³
geendiget E²ᵃ

116

werden müſſen; und eben deswegen giengen die Frantzoſen/ aus Savoya und ſtürmeten wieder in Franckreich/ die Käyſerl. Völcker aber in Teutſchland/ zuſehen was der Schweb [206] machte; mit denen ich dann ſo wohl fortſchlendern muſte/ als wann ich auch ein Soldat geweſen wäre; Wir wurden/ uns entweder zu erfriſchen/ oder weil die rothe Ruhr und die Peſt ſelbſt unter uns regierte/ an einem Ort in den Käyſerlichen Erblanden/ etliche Wochen an die Thonau ins freye Feld mit unſerem Regiment logirt/ da es mir bey weitem nicht ſolche Bequemlichkeiten ſetzte/ wie in dem edlen Italia! doch behalffe ich mich ſo gut als ich konte/ und hatte mit meinem Spring=ins=felt/ (weil er mehr als eine Hunds=Demuth gegen mir verſpühren lieſe) den Frieden wiederum/ doch nur pro forma, geſchloſſen; dann ich laurete täglich auf Gelegenheit/ vermittelſt deren ich ſeiner loß werden möchte.

Solcher mein inniglicher Wunſch wiederfuhre mir folgender Geſtalt/ welche Begebenheit genugſam bezeuget/ daß ein vorſichtiger/ verſtändiger/ ja unſchuldiget Mann/ dem wachend und nüchtern/ weder Weib/ Welt/ noch der Teuffel ſelbſt nicht zukommen kan/ gar leichtlich durch [207] ſeine eigene blöde Gebrechlichkeit/ ſchlaff= und weintruncener Weiß/ in alles Unheil und Unglück geſtürtzt: und alſo um alles ſein Glück und Wohlfarth gebracht werden mag.

Gleichwie nun aber ich in meinem Gemüth/ auch um die allergeringſte Schmach und vermeinte zugefügte Unbillichkeit/ gantz rachgierig und unverſöhnlich war/ als erzeigte ſich auch mein Leib/ wann er im geringſten verletzt würde/ gleichſam gantz unheilſam; nicht weiß ich/ ob derſelbe dem Gemüth nachähmte/ oder ob die Zärte meiner Haut und ſonderbahren complexion, ſo grobe Stöſe/ wie ein Saltzburger Holtzbauer nicht ertragen konnte; einmahl/

4 Schwede E²ᵃ   fortſchlentern E²ᵃ   6 Wir] Mir E¹   wurden] murrten E¹   7 regirete E²ᵃ   9 unſerm E²ᵃ   10 logiret E²ᵃ   11 ſatzte E²ᵃ   behalff E²ᵃ   14 lieſe) ~ wiederum] ließ) wiederum Friede E²ᵃ   17 innerlicher E²ᵃ   18 gnugſam E²ᵃ   22 eigne E²ᵃ   weindruncener Weiſe E²ᵃ   24 all E²ᵃ   27 unverſühnlich E²ᵃ   28 erzeigete E²ᵃ   29 ward E²ᵃ   30 nachähmete E²ᵃ   32 nit E²ᵃ

ich hatte meine blaue Fenster/ und von Spring=ins=felts
Faust/ die Waarzeichen noch in meinem sonst zarten An-
gesicht/ die er mir im Lager vor Mantua eingeträneckt/ da
er mich in obbemelten Lager an der Thonau/ als ich abermahl mitten im besten Schlaff lag/ bey der Mitten kriegte/
auf die Achsel nahm/ mit mir also im Hembd/ wie er mich
erdappt [208] gehabt/ gegen des Obristen Wachtfeuer zulieffe/
und mich allen Ansehen nach/ hinweg werffen wolte; Ich
wuste/ nachdem ich erwachte/ zwar nicht wie mir geschahe/
aber gleichwohl merckte ich meine Gefahr/ da ich mich gantz
nackend befande/ und den Spring=ins=felt mit mir so schnell
gegen dem Feuer zueilen sahe; derowegen fienge ich an zu
schreyen/ als wann ich mitten unter die Mörder gefallen
wäre/ davon erwachte alles im Läger/ ja der Obrist selbst/
sprang mit seiner Partisan aus seiner Zelten/ und andere
Officier mehr/ welche kamen/ der Meynung/ einen ent-
standenen grossen Lermen zu stillen (dann wir hatten
damahls gantz keine Feinds=Gefahr) sondern aber nichts
anders als ein schönes lächerliches Einsehen/ und närrisches
Spectacul/ ich glaube auch/ daß es recht artlich und
kurtzweilig anzusehen gewesen seyn muß; die Wacht empfinge
dem Spring=ins=felt mit seiner unwilligen und schreyenten
Last/ ehe er dieselbige ins Feuer werffen konte/ und als
sie solche nackend sahen/ und vor seine Cou- [209] rage
erkanten/ war der Corporal so ehrliebend/ mir einen
Mantel um den Leib zu werffen; Indessen kriegten wir
einen Umstand von allerhand hohen und niedern Officiern/
der sich schier zu tod lachen wolte/ und welchem nicht
allein der Obrist selbst/ sondern auch der Obriste Leutenant
gegenwärtig war/ der allererst neulich den Frieden zwischen
mir und dem Spring=ins=felt durch Drohung gestifftet hatte.

1 Spring=ins=feldes E²ᵃ   3 Läger E³   eingeträneckt] eingedrucket
E²ᵃ   4 obbemeltem E²ᵃ.³   Läger E³   7 Wachtfeur zulieff E²ᵃ   8
allem E²ᵃ   11 befand E²ᵃ   12 fing E²ᵃ   14 Obrister E²ᵃ   15 Par-
tison E¹   seinem Zelt E²ᵃ   16 Officirer E²ᵃ   18 Feindes=Gefahr
E²ᵃ   aber *fehlt* E²ᵃ   19 schönes aber E²ᵃ   21 empfing E²ᵃ   22
den E²ᵃ.³   schreyenden E²ᵃ.³   23 eh E²ᵃ   25 eheliebend E¹   27
Officirern E²ᵃ   29 Obrister E²ᵃ   Obrister E²ᵃ

Als indessen Spring-ins-felt sich wieder witzig stellte/
oder (ich weis selbst schier nit/ wie es ihm ums Hertz
war) als er wieder zu seinen sieben Sinnen kommen;
fragte ihn der Obriste/ was er mit dieser Gugelfuhr
gemeint hätte? da antwortet er/ ihm hätte geträumt/   5
seine Courage wäre überall mit gifftigen Schlangen umgeben
gewesen/ derowegen er sie seinem Einfall nach/ zu erretten
und davon sich befreyen/ entweder in ein Feuer oder
Wasser zu tragen/ vors beste gehalten/ hätte sie auch zu
solchem Ende aufgepackt/ und wäre/ wie sie alle vor   10
andern sehen/ also mit ihr daher kommen/ welches ihm
mehr als von [210] Grund seines Hertzens leid seye; Aber
beydes der Obrist selbst/ und der Obrist Leutenant/ der
ihn vor Mantua beygestanden/ schütteln die Köpff darüber/
und liesen ihn/ weil sich schon jederman satt genug gelacht   15
hatte/ vor die lange Weil zum Profosen führen/ mich
aber in mein Gezelt gehen/ vollents auszuschlaffen.

Dem folgenden Morgen gieng unser Proceß an/ und
solte auch gleich ausgehen/ weil sie im Krieg nicht so lang
zu wehren pflegen/ als an einigen Orten im Frieden;   20
Jederman wuste zuvor wohl/ daß ich Spring-ins-felts
Ehefrau nicht war/ sondern nur seine Matreß/ und dessent=
wegen bedorfften wir auch vor kein consiftorium zu
kommen/ um uns scheiden zu lassen/ welches ich begehrte/
weil ich im Bette meines Lebens bey ihm nicht sicher war/   25
und eben dessentwegen hatte ich einen Beyfall schier von
allen allessoribus, die davor hielten/ daß ein solche Ursach/
auch eine rechte Ehe scheiden könte; der Obrist Leutenant
so vor Mantua gantz auf Spring-ins-felts Seiten gewesen/
war [211] jetzt gantz wider ihn/ und die übrige vom   30

---

1 stellete E²ᵃ   2 nicht E²ᵃ   4 Gugelfuhre gemeynet E²ᵃ   5 ant=
wortete E²ᵃ   getraumet E²ᵃ   geträumet E³   8 davon sich be=
freyen] sie davon zubefreyen E²ᵃ   12 sey E²ᵃ   13 und der Obrister
E²ᵃ   14 ihm E²ᵃ   schüttelten E²ᵃ   Köpffe E²ᵃ   15 gelachet E²ᵃ
16 weile E²ᵃ   Provos E²ᵃ   18 Den E²ᵃ.³   20 einzigen E²ᵃ   Friede
E²ᵃ   21 Springs=ins=feldes E²ᵃ   22 Matresse E²ᵃ   24 begehrte
E²ᵃ   25 nit E²ᵃ   27 eine E²ᵃ   Ursache E²ᵃ   28 Obrister E²ᵃ   29
Spring=ins=feldes Seite E²ᵃ   30 übrigen E²ᵃ

Regiment schier alle auf meiner Seiten: Demnach ich aber
mit meinem Contract schrifftlich hervor kam/ was Gestalt
wir beysammen zu wohnen/ einander versprachen/ biß zur
ehrlichen Copulation/ zumahlen meine Lebens=Gefahr die
ich künfftig bey einem solchen Ehegatten zu sorgen hätte/
trefflich aufzumutzen und vorzuschützen wuste/ fiel endlich
der Bescheid/ daß wir bey gewisser Straffe voneinander
geschieden: und doch verbunden seyn solten/ uns um das
jenig so wir miteinander errungen und gewonnen/ zu=
vergleichen; Ich replicirte hingegen/ daß solches letzte
wider den Accord unserer ersten Zusammen=Fügung lauffe/
und daß Spring=ins=felt seyt er mich bey ihm hätte/ oder
teutscher zu reden/ seyt ich ihn zu mir genommen und die
Marquedenterey angefangen/ mehr verthan als gewonnen
hätte/ welches ich dann mit dem gantzen Regiment beweisen
und darthun könte; Endlich hiese es/ wann der Vergleich
nach Billigkeit solcher Umstände zwischen uns beeden selbst
nicht [212] gütlich getroffen werden könte/ daß alsdann
nach befindenden Dingen von dem Regiment ein Urthel
gesprochen werden solte.

Ich liese mich mit diesem Bescheid mehr als gern
genügen/ und Spring=ins=felt liese sich auch gern mit einem
geringen beschlagen/ dann weil ich ihn und mein Gesind nach
dem eingehenden Gewinn: und also nit mehr wie in Italia
tractirte/ also daß es schiene/ als ob der Schmalhans bey
uns anklopffen wolte; vermeinte der Geck/ es wäre mit
meinen Gelt auf der Neige/ und bey weitem nicht mehr
so viel verhanden/ als ich noch hatte/ und er nicht wuste!
und es war billich/ daß ers nicht wuste/ dann er wuste
ja auch nicht/ warum ich damit so halsstarrig zu ruck
hielte.

Eben damals/ Simplice, wurde das Regiment Tragoner/
darunter du etwan zu Soest dein a. b. c. gelernet hast/

1 Seite E²ᵃ   3 versprochen E²ᵃ   4 ehelichen E²ᵃ   8 geschieden E²ᵃ
11 unsrer E²ᵃ   12 seyther E²ᵃ   13 seyther E²ᵃ   16 hieß E²ᵃ   17
beyden E²ᵃ   19 Urtheil E³   21 ließ E²ᵃ   22 ließ E²ᵃ   23 Gesinde
E²ᵃ   24 nicht E²ᵃ   25 tractirete E²ᵃ   schien E²ᵃ   26 vermeynete
E²ᵃ   27 meinem E²ᵃ.³   28 vorhanden E³   31 hielt E²ᵃ   32 Simplici, ward E²ᵃ

durch allerhand junge Bursch / die sich hin und wieder bey
den Officiern der Regimenter zu Fuß befanden / und nun
erwachsen [213] waren / aber keine Mußquetierer werden
wolten / verstärckt; welches eine Gelegenheit vor den Spring-
ins-felt war / weſſentwegen er sich auch mit mir in einen   5
desto leidenlichern Accord einliese; den wir auch allein miteinander getroffen; solcher Gestalt; Ich gab ihm das beste
Pferd das ich hatte / samt Sattel und Zeug; Item / ein-
hundert Ducaten paar Gelt / und das dutzet Reuter-Koller /
so er in Italia durch meine Anstalt gestohlen; dann wir   10
hatten uns bißher nicht dörffen sehen lassen; damit wurde
auch eingedingt / daß er mir zugleich meinen Spiritus famil.
um eine Cron abkauffen solte / welches auch geschahe; und
in solcher Maaß habe ich den Spring-ins-felt abgeschafft
und ausgesteuret / jetzt wirst du auch bald hören / mit was   15
vor einer feinen Gab ich dich selbst beseeligt: und deiner
Thorheit im Sauerbrunnen belohnet hab; habe nur eine
kleine Gedult / und vernimm zuvor / wie es dem Spring-
ins-felt mit seinen Ding im Glaß gangen.

    [214] So bald er solches hatte / bekam er Würm über   20
Würm / im Kopff; wann er nur einen Kerl ansahe / der
ihme sein Tage niemahl nichts Leids gethan / so hätte er
ihn gleich an Hals schlagen mögen; und er spielte auch
in allen seinen Duellen dem Meister! Er wuste alle verborgene Schätze zu finden; und andere Heimlichkeiten mehr /   25
hier ohnnöthig zu melden; Demnach er aber erfuhre / was
vor einen gefährlichen Gast er herbergte / trachtet er seiner
loß zu werden / er konte ihn aber drum nicht wieder verkauffen / weil der Satz oder der Schlag seines Kauffschillings
aufs Ende kommen war / ehe er nun selbst Haar lassen wolte /   30
gedachte er mir denselbigen wieder anzuhencken / und zu

1 Bursche E²ᵃ 2 Officirern E²ᵃ 6 leidlichern E²ᵃ einließ E²ᵃ
9 baar E²ᵃ 11 dörffen damit E²ᵃ ward E²ᵃ 13 Crone E²ᵃ 14
Mase hab E²ᵃ 16 Gabe E²ᵃ beseeliget E²ᵃ und in E²ᵃ 17
Saurbrunn gelohnet habe E²ᵃ 18 Springs-ins-feld E²ᵃ 19 seinem E²ᵃ.³ 20 Würme E²ᵃ 21 Würme E²ᵃ 22 ihm E²ᵃ tag E²ᵃ
Leides E²ᵃ 23 spielete E²ᵃ 24 den E²ᵃ.³ 26 unnöthig E²ᵃ erfuhr E²ᵃ 27 herberge / trachtete E²ᵃ 28 darum nit E²ᵃ 30 eh E²ᵃ
31 anzuhengen E²ᵃ zurück E²ᵃ

ruck zu geben / wie er mir ihn dann auch auf dem General
Rendevous, als wir vor Regenspurg ziehen wolten / vor
die Füſſe warff / ich aber lachte ihn nur aus / und ſolches
zwar nicht darum vergebens / dann ich hube ihn nicht
5 allein nicht auf / ſondern da Spring=ins=felt wieder in
ſein Quartier kam / da fande er ihn wieder in [215] ſeinem
Schubſack; ich hab mir ſagen laſſen / er habe den Bettel
etlichmahl in die Thonau geworffen / ihn aber alleweg
wieder in ſeinem Sack gefunden; biß er endlich denſelbigen
10 in einen Backofen geworffen / und alſo ſeiner loß worden;
Indeſſen er ſich nun ſo hiermit ſchleppte / wurde mir
gantz ungeheuer bey der Sach / derowegen verſilberte ich
was ich hatte / ſchaffte mein Geſind ab / und ſetzte mich
mit meiner Böhmiſchen Mutter nach Paſſau / vermittelſt
15 meines vielen Gelts des Kriegs Ausgang zu erwarten;
ſintemahl ich zu ſorgen hatte / wann Spring=ins=felt ſolches
Kauffs und Verkauffs halber / über mich klagen würde /
daß mir alsdann als einer Zauberin / der Proceß gemacht
werden dörffte.

20 [216]   Das XXIII. Capitel.

Wie Courage abermahl einen Mann verlohren / und ſich
darnach gehalten habe.

ZU Paſſau ſchlug es mir bey weitem nicht ſo wohl zu /
als ich mich verſehen hate / es war mir gar zu
25 Pfäffiſch / und zu andächtig / ich hätte lieber an Statt
der Nonnen / Soldaten: oder an Statt der Mönche /
einige Hoffburſch dort ſehen mögen / und gleichwohl verharrete
ich daſelbſten / weil damahls nicht nur Böhmen / ſondern
auch faſt alle Provintzen des Teutſchlandes mit Krieg
30 überſchwämt waren; Indem ich nun ſahe / daß alles der
Gottesforcht daſelbſt zugethan zu ſeyn ſchiene; accommodirte

4 hub E²ᵃ   6 fand E²ᵃ   7 habe E²ᵃ   8 etlichemahl E²ᵃ   allweg
E²ᵃ   10 Backofen E²ᵃ   11 ſchleppete / ward E²ᵃ   12 Sache E²ᵃ
13 ſatzte E²ᵃ   15 Geldes E²ᵃ   Krieges E²ᵃ   27 einzige Hoffburſche
E²ᵃ   30 überſchwämmet E²ᵃ   31 ſchien E²ᵃ

ich mich gleichfalls aufs wenigst äufferlich nach ihrer Weiß
und Gewonheit; und was mehr ist/ so hatte meine
Böhmische Mutter oder Costfrau/ das Glück/ daß sie an
diesem andächtigen Ort unter Glantz der angenommenen
Gottse= [217] ligkeit/ und den Weg aller Welt gieng/ 5
welche ich dann auch ansehenlicher begraben liese/ als wann
sie zu Prag/ bey S. Jacobs Thor gestorben wäre. Ich
hielte es vor ein Omen meiner künfftigen Unglückseeligkeit/
weil ich nunmehr niemanden auf der Welt mehr hatte/
dem ich mich und das Meinige rechtschaffen hätte vertrauen 10
mögen; und derentwegen haffte ich den unschuldigen Ort/
darinn ich meiner besten Freundin/ Seugammen und Auf=
erzieherin war beraubt worden; doch patientirt ich mich
daselbst/ biß ich Zeitung bekam/ daß der Wallensteiner
Prag/ die Haubt=Stadt meines Vatterlands eingenommen/ 15
und wiederum in des Röm. Käysers Gewalt gebracht; dann
auf solche erlangte Zeitung/ und weil der Schwed zu
Mönchen und in gantz Bähern dominirt/ zumahlen in
Passau seinetwegen grosse Forcht war/ machte ich mich
wieder in besagtes Prag/ wo ich mein meistes Gelt liegen 20
hatte.

Ich war aber kaum dort eingenistelt/ ja ich hatte mich
noch nicht recht daselbst [218] gesetzt/ mein zusammen=
geschundenes Gelt und Gut im Frieden: und meinem Be=
duncken nach in einer so grossen und dannenhero auch 25
meinem Vermuthen nach/ sehr sichern Statt/ wolluftbarlich
zu geniessen; sihe/ da schlug der Arnheim die Käyserl. bey
Lignitz/ und nachdem er daselbst 53. Fähnlin erobert/ kam
er Prag zu ängstigen; Aber der Allerdurchleuchtigst dritte
Ferdinand/ schickte seiner Stadt (als er selbsten Regens= 30
purg zusetzte) den Gallas zu Hülffe/ durch welchen Succurs
die Feinde nicht allein Prag/ sondern auch gantz Böhmen
widerum zu verlassen/ genöthigt wurden.

1 wenigste E²ᵃ   Weise E²ᵃ   4 unter] und der E¹   unter] unter dem
E²ᵃ   5 und *fehlt* E²ᵃ.³   6 ließ E²ᵃ   8 hielt E²ᵃ   9 niemand E²ᵃ
10 dem] dann E¹   11 haffete E²ᵃ   12 Säugamme E²ᵃ   13 berau=
bet E²ᵃ   patientirete E²ᵃ   15 Vaterlandes E²ᵃ   17 Schwede E²ᵃ
18 München E²ᵃ   dominirete E²ᵃ   22 dort] recht E²ᵃ   24 Friede
E²ᵃ   Bedüncken E²ᵃ   28 Fähnlein E²ᵃ   29 Allerdurchleuchtigste
E²ᵃ   31 zusatze E²ᵃ   32 nit E²ᵃ   33 genöhtiget E²ᵃ

Damahl sahe ich daß weder die grosse und gewaltige
Städte noch ihre Wähl Thürn/ Mauren und Gräben/
mich und das Meinige vor der Kriegs=Macht der jenigen
die nur im freyen Feld/ in Hütten und Zelten logiren/
5 und von einem Ort zum andern schweiffen/ beschützen könte;
derowegen trachtet ich dahin/ wie ich mich wiederum einem
solchen Kriegsheer beyfügen möchte.

[219] Ich war damahl noch zimlich glatt und annemlich/
aber gleichwohl doch bey weitem nicht mehr so schön als
10 vor etlich Jahren; Dannoch brachte mein Fleiß und Er=
fahrenheit mir abermahl aus dem Gallaschischen Succurs
einen Haubtmann zu wegen/ der mich ehelichte/ gleichsam/
als wann es der Stadt Prag Schuldigkeit oder sonst ihr
äigne Art gewest wäre/ mich auf allen Fall/ mit Männern/
15 und zwar mit Haubtleuten zu versehen; unsere Hochzeit
wurde gleichsam Gräfflich gehalten/ und solche war kaum
vorüber/ als wir Ordre kriegten/ uns zu der Käyserlichen
Armada vor Nördlingen zu begeben/ die sich kurtz zuvor
mit dem Hispanischen Ferdinand/ Cardinal Infant con-
20 jungirt: Donawerth eingenommen/ und Nördlingen belagert
hatte; diese nun kamen/ der Fürst von Weimar/ und
Gustavus Horn zu entsetzen/ worüber es zu einer blutigen
Schlacht geriethe/ deren Verlauff und darauf erfolgte Veränderung nicht vergessen werden wird/ so lang die Welt
25 stehet! Gleichwie sie aber auf [220] unserer Seiten überal
glücklich abliesse/ also war sie mir gleichsam allein schädlich
und unglückhafft/ indem sie mich meines Manns/ der noch
kaum bey mir erwarmet/ im ersten Angriff beraubte; über
das/ so hatte ich nicht das Glück/ wie mir etwan hiebevor
30 in anderen Schlachten widerfahren/ vor mich selbsten/ und
mit meiner Hand Beuthen zu machen/ weil ich wegen
anderer/ die mir vorgiengen/ so dann auch wegen meines

1 grossen E²ᵃ gewaltigen E²ᵃ 2 nach ihrer Wahl E¹ Wälle/ E²ᵃ
4 Zelten] solten E¹ 5 könten; derentwegen trachtete E²ᵃ konte E³
10 etlichen E²ᵃ 11 Gallasischen E²ᵃ·³ 12 zuwege E²ᵃ ehlichte E³
13 ihre E²ᵃ 14 eigene E³ gewesen E²ᵃ 15 unsre E²ᵃ 16 ward
E²ᵃ 19 conjugiret E²ᵃ 20 belägert E³ 21 nun zuentsätzen E²ᵃ·³
22 zu entsetzen fehlt E²ᵃ·³ 23 geriet E²ᵃ 25 unsrer Seite E²ᵃ 26
ablieff E²ᵃ 27 Mannes E²ᵃ 29 nit E²ᵃ 30 mir E²ᵃ

Manns allzufrühen Tod/ nirgends zukommen konte; solches bedunckten mich eitel vor Bedeutungen meines künfftigen Verderbens zu seyn/ welches dann die erste Melancholia/ die ich mein Tage rechtschaffen empfunden/ in meinem Gemüth verursachte.

Nach dem Treffen zertheilte sich das sieghaffte Heer/ in unterschiedliche Troppen/ die verlohrne teutsche Provintze wieder zu gewinnen/ welche aber mehr ruinirt als eingenommen und behauptet worden; Ich folgte mit dem Regiment/ darunder mein Mann gedienet/ dem jenigen [221] Corpo das sich des Bodensees und Wirtenberger Landes bemächtigt/ und ergriffe darburch Gelegenheit in meines ersten Hauptmanns (den mir hiebevor Prag auch gegeben/ Hoya aber wieder genommen) Vatterland zu kommen/ und nach seiner Verlassenschafft zu sehen; Allwo mir dasselbe Patrimonium und des Orts Gelegenheit so wohl gefiehle/ daß ich mir dieselbige Reichs=Stadt gleich zu einer Wohnung erwählete/ vornemlich darum/ weil die Feinde des Ertzhauses Oesterreich/ zum Theil biß über den Rhein: und anderwerts/ ich weiß als nit wohin/ verjagt und zerstreuet waren; also daß ich mir nichts gewissers einbildete/ dann ich würde ihrentwegen mein Lebtage dort sicher wohnen; so mochte ich ohne das nit wieder in Krieg/ weil nach dieser nahmhafften Nördlinger Schlacht/ überall alles dergestalt aufgemauset wurde/ daß die Käyserlichen wenige rechtschaffene Beuten/ meiner Muthmassung nach/ zu hoffen.

[222] Derowegen fienge ich an auf gut Bäurisch zu hausen; ich kauffte Viehe und liegende Güter/ ich dingte Knecht und Mägd/ und schickte mich nit anderst/ als wann der Krieg durch diese Schlacht allerdings geendigt: oder als ob sonst der Friede vollkommen beschlossen worden wäre; und zu solchem Ende liese ich alles mein Gelt/

---

1 Mannes E²ᵃ   Todes E²ᵃ   2 Vor=Bedeutungen E²ᵃ   5 verursachete E²ᵃ   7 Troupen E²ᵃ   9 folgete E²ᵃ   10 darunter E²ᵃ·³
12 bemächtigte E²ᵃ   ergriff E²ᵃ   13 den] der E¹·³   16 gefiel E²ᵃ
17 dieselbe E²ᵃ   20 nicht E²ᵃ   verjaget E²ᵃ   23 ohn E²ᵃ   in den
E²ᵃ   25 ward E²ᵃ   27 fing E²ᵃ   28 Vieh E²ᵃ   dingete Knechte
E²ᵃ   29 Mägde E²ᵃ   Magd E³   nicht E²ᵃ·³   30 geendiget E²ᵃ
31 Fried E³   32 ließ E²ᵃ   all E²ᵃ

das ich zu Prag und sonst in grossen Städten liegen hatte/
herzu kommen; und verwendete das meiste hierzu an; und
nun sihe Simplice, dergestalt seind wir meiner Rechnung
und deiner Lebens=Beschreibung nach/ zu einer Zeit zu
Narren worden/ ich zwar bey den Schwaben/ du aber zu
Hanau; ich verthät mein Gelt unnützlich/ du aber deine
Jugend / du kamest zu einem schlechten Krieg / ich aber
bildet mir vergeblich eine Friedens=Zeit ein/ die noch in
weitem Feld stunde; dann ehe ich recht eingewurtzelt war/
da kamen Durchzüg und Winter=Quartier/ die doch die
beschwerliche Contributiones mit nichten aufhuben; und wann
die Menge meines [223] Gelts nicht zimlich groß: oder ich
nicht so witzig gewesen wäre/ dessen Besitzung weißlich zu
verbergen/ so wäre ich zeitlich caput worden; dann niemand
in der Stadt ware mir hold/ auch meines gewesenen
Manns Freunde nicht/ weil ich dessen hinterlassene Güter
genosse/ die sonst ihnen erblich zugefallen wären/ wann
mich/ wie sie sagten/ der Hagel nicht hingeschlagen hätte;
dannenhero wurde ich mit starcken Geltern belegt/ und
nichts destoweniger auch mit Einquartierungen nicht ver-
schonet; Es gieng mir halt wie den Wittiben/ die von
jederman verlassen seyn; aber solches erzehle ich dir darum
nicht klagender Weiß; begehre auch dessentwegen weder
Trost/ Hülff/ noch Mitleiden von dir/ sondern ich sage
dirs darum/ daß du wissen soltest/ daß ich mich gleichwohl
nicht viel deswegen bekümmerte/ noch betrübte/ sondern
daß ich mich noch darzu freuete! wann wir einem Regiment
musten Winter=Quartier geben; dann so bald solches geschahe/
[224] machte ich mich bey den Officiern zutäppisch/ da war
Tag und Nacht nichts als Fressen und Sauffen/ Huren
und Buben in meinem Hause/ ich liese mich gegen ihnen
an/ wie sie wolten/ und sie musten sich auch hinwiderum/
wann sie nur einmahl angebissen hatten/ gegen mir an-

---

2 verwante E²ᵃ   3 Simplici E²ᵃ   7 du aber E¹·²ᵃ   8 bildete E²ᵃ
9 stund E²ᵃ   eh E²ᵃ   10 Durchzüge E²ᵃ   Winter=Quartire E²ᵃ
12 Geldes E²ᵃ   15 war E²ᵃ   16 Mannes E²ᵃ   nit E²ᵃ   17 genoß
E²ᵃ   19 ward E²ᵃ   Geldern beleget E²ᵃ   20 nicht] nit E²ᵃ   21
halt] leider E²ᵃ   Witwen E²ᵃ   23 weise E²ᵃ   24 Hülffe E²ᵃ   29
denen Officirern E²ᵃ   31 Hauß E²ᵃ   ließ E²ᵃ

laſſen / wie ichs haben wolte / alſo daß ſie wenig Gelt mit
ſich aus dem Quartier ins Feld trugen; Worzu ich dann
mehr als tauſenderley Förtel zu gebrauchen wuſte / und
trutz jederman / der damahls etwas darwieder geſagt hätte;
Ich hielte allezeit ein paar Mägd / die kein Haar beſſer   5
waren als ich / gienge aber ſo ſicher / klüglich und behutſam
damit um / daß auch der Magiſtrat meine damahlige liebe
Obrigkeit / ſelbſten mehr Urſach hatte / durch die Finger zu
ſehen / als mich deßwegen zu ſtraffen / ſintemahl ihre Weiber
und Töchter / ſo lang ich vorhanden war / und mein Netz   10
ausſpannen dörffte / nur deſto länger from verblieben; dieß
Leben führete ich etliche [225] Jahr / ehe ich mich übel
dabey befande / zu welcher Zeit ich Jährlich gegen dem
Sommer / wann Mars wieder zu Felde gieng / meinen
Uberſchlag und Rechnung machte / was mich denſelbigen   15
Winter der Krieg gekoſtet / da ich dann gemeiniglich ſande /
daß meine Proſperität und einnahm die Ausgab meiner
ſchuldigen Kriegs-Koſten übertroffen; aber Simplice, jetzt
iſts an dem / daß ich dir auch ſage / mit was vor einer
Laugen ich dir gezwaget; Will derowegen jetzt nicht mehr   20
mit dir / ſondern mit dem Leſer reden; du magſt aber
wohl auch zuhören / und wann du vermeineſt / daß ich
lüge / mir ohngehindert in die Rede fallen.

Das XXIV. Capitel.

Wie Simpliciſſimus und Courage Kundſchafft zuſammen   25 bekommen und einander betrogen.

WJr muſten in unſerer Stadt eine ſtarcke Beſatzung
gedulten / als die Chur-Bäyriſche und Frantzöſiſche /
Weymari- [226] ſche in der Schwäbiſchen Gräntze einander
in den Haaren lagen / und ſich zwackten: unter denſelbigen   30

3 Vortel E²ᵃ   4 geſaget E²ᵃ   5 hielt E²ᵃ   Mägde E²ᵃ   6 ging E²ᵃ
8 Urſache E²ᵃ   12 Jahre/eh E²ᵃ   13 befand E²ᵃ   14 zufeld E²ᵃ
15 machete E²ᵃ   16 fand E²ᵃ   17 Einnahme E²ᵃ   Außgabe E²ᵃ
18 Simplici E²ᵃ   19 iſt es E²ᵃ   20 Lauge E²ᵃ   dich E²ᵃ   21 Leſer]
Laſter E¹·²ᵃ·³   23 ungehindert E²ᵃ   27 unſrer E²ᵃ   28 gedulden
E²ᵃ   30 zwagten E³

waren die meiste Officierer trefflich geneigt auf das jenige/
was ich ihnen gern um die Gebühr mitzutheilen pflegte/
demnach ichs aber beydes aus grosser Begierde des Gelts
wider damit gewonnen/ als meiner eigenen unersättlichen
5 Natur halber gar zu grob machte/ und bey nahe ohne
Unterschied zulieffe/ wer nur wolte; Sihe/ da bekam ich
das jenige/ was mir bereits vor zwölff oder funffzehen
Jahren rechtmässiger Weise gebühret hätte/ nemlich die
liebe Frantzosen mit wohlgeneigter Gunst? Diese schlugen
10 aus/ und begunten mich mit Rubinen zu zieren/ als der
lustige und fröliche Frühling den gantzen Erdboden mit
allerhand schönen wohlgezierten Blumen besetzte; gesund
war mirs/ daß ich Mittel genug hatte/ mich wiederum
darvon curirn zu lassen/ welches dann in einer Stadt
15 am Bodensee geschahe; Weil mir aber meines Medici Vorgeben nach/ das Geblüt noch nicht vollkommen gereinigt
gewesen/ da riethe er mir/ ich sollte die [227] Saurbrunnen-
Cur brauchen/ und also meine vorige Gesundheit desto
völliger wiederum erholen; solchem zufolge/ rüstet ich mich
20 aufs beste aus/ mit einem schönen Calesch/ zweyen Pferden/
einem Knecht/ und einer Magd/ die mit mir vier Hosen
eines Tuchs war/ ausser/ daß sie die obengemelte lustige
Kranckheit noch nicht am Hals gehabt.

Ich war kaum acht Tag in Saurbrunnen gewesen/ als
25 Herr Simplicius Kundschafft zu mir machte; dann gleich
und gleich gesellt sich gern/ sprach der Teuffel zum Kohler;
Ich trug mich gantz adelich/ und weil Simplicius so toll
aufzoge und viel Diener hatte/ hielte ich ihne auch vor
einen dapffern Edelmann/ und gedachte/ ob ich ihm viel-
30 leicht das Seil über die Hörner werffen und ihn (wie ich
schon zum öfftern mehr practicirt) zu meinem Ehe-Mann
kriegen konte; Er kam meinem Wunsch nach mit völligem

---

1 meisten E²ᵃ   3 Begierd E³   Geldes E²ᵃ   4 zugewinnen E²ᵃ   5
machete E²ᵃ   ohn E²ᵃ   6 zulieff E²ᵃ   8 nemlich (die Heilige auß
Frankreich) E²ᵃ   12 besatzte E²ᵃ   14 davon curiren E²ᵃ   17 rieht
E²ᵃ   Sauerbrunnen-Cur E³   19 zu folgen E³ rüstete E²ᵃ   20
einer E²ᵃ   24 Tage E²ᵃ   im E³   Saurbrunn E²ᵃ   26 gesellet E²ᵃ
Köhler E²ᵃ   28 auffzog E²ᵃ   hielt E²ᵃ   ihnen E¹   ihn E²ᵃ   31
practiciret E²ᵃ   32 könte E²ᵃ

Wind in den gefährlichen Port meiner fattfamen Begierden
angefeegelt / und ich tractirte ihn / wie etwann die Circe
den irrenden [228] Uliffem: und alfobald faffte ich eine
gewiffe Zuverficht / ich hätte ihn fchon gewiß an der Schnur /
aber der lofe Vogel riffe folche entzwey / vermittelft eines
Funds / dardurch er mir feine groffe Undanckbarkeit zu
meinen Spott und feinen eigenen Schaden bezeugte; Sinte=
mal er durch einen blinden Piftolen=Schuß und einer
Waffer=Sprige voll Blut / das er mir durch ein Secret
beybrachte / mich glauben machte / ich wäre verwundet /
weffentwegen mich nicht nur der Balbierer / der mich ver=
binden folte / fondern auch faft alles Volck in Saurbrunnen
hinten und fornen befchauete / die nachgehends alle mit
Fingern auf mich zeigten / ein Lied darvon fangen / und
mich dergeftalt aushöneten / daß ich den Spott nicht mehr
vertragen und erleiden konnte / fondern ehe ich die Chur gar
vollendet / den Saur=Brunnen mit famt dem Bad quittirte.

Der Troff Simplex nennet mich in feiner Lebens=
Erzählung im 5. 3. Buch an 6. 4. Capitel leichtfertig / Item /
fagt er / [229] ich fey mehr mobilis als nobilis gewefen /
ich gebe beydes zu / wann er felbft aber nobel oder fonft
ein gut Haar an ihm gewefen wäre / fo hätte er fich an
fo keine leichtfertige und unverfchämte Dirne / wie er mich
vor eine gehalten / nicht gehänckt / vielweniger feine eigene
Unehr / und meine Schand alfo vor der ganzen Welt aus=
gebreitet und ausgefchrien; Lieber Lefer! was hat er jetzt
vor Ehr und Ruhm darvon / daß er (damit ich feine eigene
Wort gebrauche) in kurtzer Zeit einen freyen Zutritt und
alle Vergnügung / die er begehren und wünfchen mögen /
von einer Weibs=Perfon erhalten / vor deren Leichtfertigkeit
er ein Abfcheuen bekommen? Ja von deren / die noch

1 fattfamen] unerfättlichen E²ᵃ   2 tractirete E²ᵃ   3 faffete E²ᵃ
4 Schnure E²ᵃ   5 riß E²ᵃ   6 Fundes / dadurch E²ᵃ   7 meinem E²ᵃ
feinen] einen E¹   feinem E²ᵃ   bezeugete E²ᵃ   11 Barbierer E²ᵃ
12 im Saurbrunn E²ᵃ   13 forn E²ᵃ   14 zeigeten E²ᵃ   davon E²ᵃ
15 nit E²ᵃ   16 ehe fehlt E¹   ey E²ᵃ   17 Saurbrunn E²ᵃ   quitti=
rete E²ᵃ   18 Tropff E²ᵃ.³   20 faget E²ᵃ   24 gehängt E²ᵃ   eigne
Unehre E²ᵃ   25 Schande E²ᵃ   27 Ehre E²ᵃ   davon / als E²ᵃ   da=
von E³   ich fehlt E¹   29 möge E²ᵃ   31 Abfcheu hette E²ᵃ

kaum der Holtz-Cur entronnen? Der arme Teuffel hat
eine gewaltige Ehre darvon/ sich dessen zu rühmen/ welches
er mit besseren Ehren billich hätte verschweigen sollen;
Aber es gehet dergleichen Hengsten nicht anderst/ die/ wie
5   das unvernünfftige Viehe/ einem jedwedern geschleyerten
Thier wie der Jäger jeden einem Stück Wild nachsetzen;
Er sagt/ ich sey glatt- [230] härig gewesen! da muß er
aber wissen/ daß ich damals den siebenzehenden Theil
meiner vorigen Schönheit bey weitem nicht mehr hatte/
10 sondern ich behalffe mich allbereit mit allerhand Anstrich
und Schmincke/ deren er mir nicht wenig/ sondern einer
grossen Menge abgeleckt; Aber genug hiervon/ Narren soll
man mit Kolben lausen/ das war noch ein gerings/ jetzt
vernehme der Leser/ wormit ich ihn endlich bezahlet/ ich
15 verliesse den Sauerbrunnen mit grossem Verdruß und Un-
willen/ also bedachte mich auf eine Rach/ weil ich vom
Simplicio beydes beschimpfft und verachtet worden; und
meine Magd hatte sich daselbsten eben so frisch gehalten
als ich/ und (weil die arme Tröpffin keinen Schertz ver-
20 stehen konnte/ ein junges Söhnlein vor ein Trinckgelt auf-
gebündelt/ welches sie auch auf meinem Meyer-Hof/ ausser
der Stadt/ glücklich zur Welt gebracht/ dasselbe muste sie
den Nahmen Simplicium nennen lassen/ wiewohl sie Simplicius sein Tage niemahls [231] berührte; So bald ich
25 nun erfahren/ daß sich Simplicius mit einer Bauren Tochter
vermählet/ muste meine Magd ihr Kind entwöhnen und
dasselbige/ nach dem ichs mit zarten Windeln/ ja/ seidenen
Decken und Wickelbinden ausstaffiret/ um meinem Betrug
eine bessere Gestalt und Zierde zu geben/ in Bekleidung
30 meines Meyers-Knecht zu Simplici Haus tragen / da sie
es dann bey Nächtlicherweile vor seine Thür gelegt/ mit

_____

2 davon E²ᵃ   5 jedweder E³   6 Jäger ~ einem] Jäger einem jeden E²ᵃ   7 saget E²ᵃ   sey E²ᵃ   10 sondern ich behalffe] sonderlich
behalffe E¹   sonderlich behalf ich E²ᵃ   sondern behalffe E³   11
Schmüncke E³   nit E²ᵃ   12 abgelecket E²ᵃ   13 eines geringes E²ᵃ
15 verließ E²ᵃ   Saurbrunn E²ᵃ   16 also ~ mich] bedachte mich
also E²ᵃ   Rache E²ᵃ   23 den] mit E³   Nahmen nach Simplicio
E²ᵃ   Simplicius E³   24 berührete E²ᵃ   26 entwehnen E³   27 ich
es E²ᵃ   Windelein E³   29 Bekleidung] Begleitung E³   30 Meyer-
Knechts E²ᵃ   Simplicii E³   da] daß E¹   31 geleget E²ᵃ

130

einem beygelegten Schrifftlichen Bericht/ daß er solches
mit mir erzeugt hätte. Es ist nicht zu glauben/ wie
hertzlich mich dieser betrug/ erfreuete/ sonderlich da ich
hörete/ daß er dessentwegen von seiner Obrigkeit so trefflich
zur Straff gezogen worden/ und daß ihm diesen Fund
sein Weib alle Tag mit Merrettig und Senff auf dem
Brod zu essen gab; Item/ daß ich den Simpeln guten
Glauben gemacht/ die Unfruchtbare hätte gebohren! da ich
doch/ wann ich der Art gewest wäre/ nicht auf ihn gewartet:
sondern in meiner Jugend verrichtet haben würde/ was
[232] er in meinem herzunahenden Alter von mir glaubte;
dann ich hatte damals allbereit schier viertzig Jahr erlebt;
und war eines schlimmen Kerls nicht würdig/ als Simplicius einer gewesen.

Das XXV. Capitel.

Courage wird über ihren Ubelthaten erwischt/ und der Stadt verwiesen.

JEtzt sollte ich zwar abbrechen und aufhören von meinem
fernern Lebenslauf zuerzehlen/ weilen genugsam ver-
standen worden/ was vor eine Dame Simplicius über-
dölpelt zu haben sich gerühmet; gleichwie er aber von
deme/ was allbereit gesagt worden/ ohne Zweiffel fast nichts
als Spott und Schand haben wird; also wirds ihm auch
wenig Ehr bringen/ was ich noch fürters anzeigen werde.

Ich hatte hinter meinem Hause einen Garten in der
Stadt/ beydes von Obsgewächß/ Kräuter und Blumen/
der sich [239] dorffte sehen lassen/ und alle andere trutzte;
und neben mir wohnete ein alter Mechaberis oder Susannen
Mann/ welcher ein Weib hatte/ die viel älter war als er

1 beygefügtem E²ᵃ   2 erzeuget E²ᵃ   5 Strafe E²ᵃ   6 Tage E²ᵃ
7 den ~ gemacht] den guten Simpel glaubend gemachet E²ᵃ   9 gewesen E²ᵃ   nit E²ᵃ   12 Jahre erlebet E²ᵃ   13 eines so E²ᵃ   Kerls
~ gewesen] Kerls/als Simplicius einer gewesen/noch wol würdig
E²ᵃ   21 er] ihr E¹   22 dem E²ᵃ   gesaget E²ᵃ   ohn E²ᵃ   23 Schande E²ᵃ   wirds] wird es E²ᵃ   24 Ehre E²ᵃ   nach E¹   25 Haus E²ᵃ
26 Obsgewächsen E²ᵃ   27 der sich] den ich E²ᵃ   trutzete E²ᵃ

selbsten/ diese wurde zeitlich innen/ von was vor einer
Gattung ich war/ und ich schlug auch nicht ab in Noth-
fall mich seiner Hülff zu bedienen/ wessentwegen wir dann
offt in besagtem Garten zusammen kamen und gleichsam
im Raub und höchster Eil Blumen brachen/ darmit es sein
eifersüchtige Alte nit gewahr würde/ wie wir dann auch
nirgends so sicher als in diesem Garten zusammen kommen
konten/ als da das grüne Laub und die verdeckte Gäng/
unserer Meinung nach vor dem Menschen/ aber nicht vor
den Augen GOttes unsere Schand und Laster bedeckten;
gewissenhaffte Leut werden darvor halten/ unser Sünden-
maß seye damal entweder voll und überhäufft gewesen/
oder die Güte GOttes hätte uns zur Besserung und Busse
beruffen wollen; Wir hatten einander im Anfang des
Septembris Losung gegeben/ den= [240] selbigen lieblichen
Abend im Garten unter einem Birnbaum zusammen
zukommen/ eben als zween Musquetierer aus unserer
Quarnison ein Anschlag gemacht hatten/ selbigen Abend
ihren Part von meinen Birrn zu stehlen; Wie sie auch
den Baum bestiegen und zu brechen anfiengen/ ehe ich und
der Alte in Garten kommen; Es war ziemlich finster/
und mein Buhler stellte sich ehender ein/ als ich/ bey dem
ich mich aber auch gar bald befande/ und das jenige
Werck mit ihm angienge/ daß wir ehmahlen miteinander
zu treiben gewohnt waren; Potzhertz! ich weiß nicht wie
es gienge/ der eine Soldat regte sich auf dem Baum/ um
unserer Gauckelfuhr besser wahrzunehmen/ und war so
unvorsichtig/ daß er alle seine Birren/ die er gebrochen
hatte/ verschüttelt/ und als selbige auf den Boden fielen/
bildeten ich und der Alte sich nichts anders ein/ als es
wäre etwann ein starckes Erdbiden von GOtt gesendet und

1 ward E²ᵃ   innen] in E²ᵃ   3 Hülffe E²ᵃ   4 besagten E²ᵃ   5 Eile
E²ᵃ   damit E²ᵃ.³   seine E²ᵃ   6 nicht E²ᵃ   8 Gänge/unsrer E²ᵃ
10 unsre Schande E²ᵃ   bedeckten E²ᵃ   11 Leute E²ᵃ   12 sey E²ᵃ
17 unsrer E²ᵃ   18 einen E²ᵃ   gemachet E²ᵃ   19 Birnen E³   20 ich
und] ich und oder E¹   ich oder E²ᵃ   21 kamen E³   22 stellete E²ᵃ
23 befand E²ᵃ   24 anging E²ᵃ   25 gewohnet E²ᵃ   26 ging E²ᵃ
regete E²ᵃ   27 unsrer Gauckelfuhre E²ᵃ   28 Birnen E²ᵃ   Birne
E³   29 verschüttete E²ᵃ   30 bildete E²ᵃ

132

verhängt/ uns von unſern ſchandlichen Sünden abzu=
ſchrecken; wie wir dann einander auch ſolches mit Worten
zuverſtehen [241] gaben/ und beyde in Angſt und Schrecken
voneinander lieffen; die auf dem Baum aber konten ſich des
Lachens nicht enthalten/ welches uns noch gröſſere Furcht   5
einjagte/ ſonderlich dem Alten/ der da vermeinte/ es wäre
ein Geſpenſt/ das uns plagte; derowegen begab ſich ein
jedes von uns/ in ſeine Gewahrſam.

Den andern Tag kam ich kaum auf dem Marckt/ da
ſchrie ein Mußquetierer/ ich weiß was! Ein anderer fragte   10
ihn mit vollem Halß/ was weiſt du dann? Jener
antwortet/ es hat heut Birnen geerdbidmet; diß Ge=
ſchrey kam je länger je ſtärcker/ alſo daß ich gleich
merckte/ was die Glocke geſchlagen/ und mich in Angeſicht
anröthete/ wiewohl ich mich ſonſt zu ſchämen nit gewohnet   15
war; Ich machte mir gleich die Rechnung/ daß ich eine
Hatz ausſtehen müſte/ gedachte aber nicht/ daß es ſo grob
hergehen würde/ wie ich hernach erfuhr; dann nachdem
die Kinder auf der Gaſſen/ von unſerer Geſchicht zu ſagen
wuſten/ konte der Magiſtrat [242] nichts anders thun/ als   20
daß er mich und den Alten beym Kopff nehmen/ und
jedweders beſonders gefangen ſetzen lieſe; wir läugneten
aber beyde wie die Hexen/ ob man uns gleich mit dem
Hencker und der Tortur dreuete.

Man inventirt und verpetſchirt das Meinige/. und   25
examinirt mein Hausgeſind/ bey dem Eid/ deren Ausſag
aber widereinander lieffe/ weil ſie nit alle von meinen loſen
Stücken wuſten/ und mir die Mägd getreu waren; endlich
verſchnapte ich den Handel ſelbſt/ als nemlich der Schultheiß/
welcher mich Frau Baß nennete/ offt zu mir in das Ge=   30
fängniß kam/ und groſſes Mitleiden vorwante/ in Warheit
aber mehr ein Freund der Gerechtigkeit/ als mein Vetter
war; Dann nachdem er mich in aller falſchen Verträulichkeit

1 ſchändlichen E²ᵃ   5 nit E²ᵃ   Forcht E²ᵃ   6 vermeynete E²ᵃ   9
den E²ᵃ.³   12 antwortete E²ᵃ   14 im E²ᵃ.³   15 nicht E²ᵃ   19 Gaſſe
E²ᵃ   unſrer E²ᵃ   22 ließ E²ᵃ   23 ob ~ gleich] obgleich man uns E²
24 drohete E²ᵃ   25 inventirete E²ᵃ   verpetſchirete E²ᵃ   verpit=
ſchirt E³   27 lieff E²ᵃ   28 Stückgen E²ᵃ   Mägde E²ᵃ   30 Baſe
nante E²ᵃ   Gefängnuß E²ᵃ   32 ein] in E³

überredet / mein Alter hätte den begangenen und offtmahls
widerholten Ehebruch gestanden / fuhre ich unversehens
heraus / und sagte / so schlag ihm der Hagel ins Maul /
weils der alte Scheuffer nicht hat [243] halten können;
bate demnach meinen vermeinten Freund / er wolte mir
doch getreulich dadurch helffen / Er aber hingegen machte
mir eine scharffe Predigt daher / thät die Thür auf / und
wiese mir einen Notarium und beysichhabende Zeugen /
die alle meine und seine Reden und Gegen=Reden angehört
und aufgemerckt hatten.

Darauf gieng es wunderlich her / Die meiste Ratsherrn
hielten darvor / man solte mich an die Folter werffen / so
würde ich vielmehr dergleichen Stücke bekennen / und als=
dann nach befindenden Dingen als eine unnütze Last der
Erden / um eines Kopfs kürtzer zu machen seyn / welcher
Sentenz mir auch weitläufftig notificirt wurde; Ich
hingegen liesse mich vernehmen / man suche nicht so sehr /
der lieben Gerechtigkeit und den Gesetzen ein Genügen zu
thun / als mein Gelt und Gut zu confisciren; Würde man
so streng mit mir procedirn / so würden noch viel / die vor
ehrliche Burger gehalten werden / mit mir zur Leiche gehen /
oder mir das Geleit geben müssen; Ich konte schwätzen wie
ein Rechtsgelehr= [244] ter / und meine Wort und pro-
testationes fielen so scharpff und schlau / daß sich Ver-
ständige darvor entsetzten / zuletzt kam es dahin / daß ich
auf eine Urphet die Stadt quittiren: und / zu mehr als
wohlverdienter Straffe / alle meine Mobilia und ligende
Güter dahinden lassen muste / darunter sich gleichwohl
mehr als über 1000. Reichsthaler paar Geld befande;
Meine Kleidungen / und was zu meinem Leib gehörte /
wurde mir gefolgt / ausser etliche Kleinodien / die einer
hier / der ander dort zu sich zwackte; In Summa / was

2 fuhr E²ᵃ   5 bat E²ᵃ   6 dadurch] hindurch E²ᵃ   dardurch E³   8
beysichhabenden E²ᵃ   9 Gegen=rede angehöret E²ᵃ   10 auffge=
mercket E²ᵃ   11 Ratsherren E²ᵃ   12 davor E²ᵃ   13 vielmehr] viel=
leicht noch mehr E²ᵃ   15 Erde E²ᵃ   16 weitläuffig E²ᵃ·³   notificiret
ward E²ᵃ   17 ließ E²ᵃ   21 procediren E²ᵃ   21 Bürger E²ᵃ   23
Worte E²ᵃ   24 scharff E²ᵃ·³   25 davor entsatzten E²ᵃ   entsetzen E³
29 baar E²ᵃ   befand E²ᵃ   30 gehörete / ward E²ᵃ   31 gefolget E²ᵃ
32 In Summa] Kurtzab E²ᵃ

134

wolte ich thun? Ich hatte wohl grössers verdienet/ wann
man strenger mit mir hätte prodiren wollen; aber es
war halt im Krieg/ und danckte jedermänniglich dem
gütigen Himmel (ich solte gesagt haben jeder weiberlich)
daß die Stadt meiner so taliter qualiter loß worden.   5

[245]   Das XXVI. Capitel.

Courage wird eine Mußquetiererin/ schachert dabey mit
Taback und Brandtewein.   Ihr Mann wird verschicket/
welcher unter Wegs einen todten Soldaten antrifft/ den
er auszieht/ und weil die Hosen nicht herunter wolten/   10
ihm die Schenckel abhaut/ alles zusammen packet/ und
bey einem Bauren einkehret/ die Schenckel zu Nachts
hinterlässet/ und Reißaus nimmt.   Darauf sich ein recht
            lächerlicher Poß zuträgt.

DAmahls lagen weit herumb keine Käyserl. Völcker oder   15
    Armeen/ zu welchen ich mich wieder zu begeben im Sinn
hatte; Weil mirs dann nun an solchen mangelte/ so gedachte
ich mich zu den Weymarischen oder Hessen zu machen/
welche damahl im Kintzger Thal und der Orten herumb
sich befanden; umb zu sehen/ ob ich etwann wieder einen   20
Soldaten zum Mann bekommen könnte; Aber ach! die
erste Blüte meiner ohnvergleichlichen Schönheit war fort/ und
wie eine Frühlings-Blum verwelcket/ wie mich dann auch
mein neulicher Unfall und daraus [246] entstandene Be-
kümmernus nicht wenig verstellet; So war auch mein   25
Reichthumb hin/ der offt die alte Weiber wieder an
Männer bringet.   Ich verkauffte von meinen Kleidern und
Geschmuck/ so mir noch gelassen worden/ was Geld golte/
und brachte etwan zweyhundert Gulden zuwegen/ mit

---

3 halt *fehlt* E²ᵃ   in Kriegeszeiten E²ᵃ   4 (ich ~ weiberlich) *fehlt*
E²ᵃ   9 toden E²ᵃ   11 abhauet E²ᵃ   14 Posse zuträget E²ᵃ   18 zu
den] bey die E²ᵃ   22 unvergleichlichen E²ᵃ   23 Frühlings-blume
E²ᵃ   25 nit E²ᵃ   verstellet hatte E²ᵃ   28 galt E²ᵃ   29 zuwege E²ᵃ

denen machte ich mich/ sambt einen Boten/ auf den Weg/
umb mein Glück zu suchen/ wo ichs finden möchte/ Ich
traffe aber nichts als Unglück an/ dann ehe ich Schiltach
erlangte/ kriegte uns eine Weymarische Parthey Muß=
quetirer/ welche den Boten abprügelten/ plünderten/ und
wieder von sich jagten/ mich aber mit sich in ihr Quartier
schleppeten; Ich gab mich vor ein Käyserl. Soldaten=Weib
aus/ deren Mann vor Freyburg in Preißgau todt blieben
wäre/ und überredet die Kerl/ daß ich in meines Mannes
Heimath gewesen/ nunmehr aber Willens sey/ mich ins
Elsaß nach Hauß zu begeben; Ich war/ wie obgedacht/ bey
weitem nicht mehr so schön/ als vor diesem/ gleichwohl
aber doch noch von solcher [247] Beschaffenheit/ die einen
Mußquetirer aus der Parthey so verliebt machte/ daß er
meiner zum Weib begehrte. Was wolte oder solte ich
thun? Ich wolte lieber diesem eintzigen mit gutem Willen
gönnen/ als von der gantzen Parthey mit Gewalt zu dem
jenigen gezwungen werden/ was dieser aus Lieb suchte;
In Summa/ ich wurde eine Frau Mußquetirerin/ ehe
mich der Caplan copulirte; Ich hatte im Sinn wieder/
wie zu Springinsfelds Zeiten/ eine Marquetenderin ab=
zugeben/ aber mein Beutel befand sich viel zu leicht solches
ins Werck zu setzen; So mangelte mir auch meine Böhmische
Mutter/ und über das bedunckte mich/ mein Mann wäre
viel zu schlecht und liederlich zu solchen Handel/ doch finge
ich an mit Taback und Brandtewein zu schachern/ gleichsam
als ob ich wieder halb Batzen weiß hätte gewinnen wollen/
was ich kürtzlich bey tausenden verlohren; Es kam mich
Blutsauer an/ so zu Fuß daher zu marchiren/ und noch
darzu einen schweren Pack zu tragen/ neben dem/ daß es
auch zu Zeiten [248] schmal essen und trincken setzte/

1 einem E²ª   2 üm E²ª   3 traff E²ª   eh E²ª   4 erlangete E²ª   er=
langet E³   Parthey Weymarische E²ª   6 mit sich] mit ihnen E²ª
9 überredete E²ª   11 nach] nacher E²ª   13 einem E²ª   15 begehrete
E²ª   17 gönnen ~ suchte] gönnen/was er auß Liebe suchete/als
von der gantzen Parthey mit Gewalt zu demjenigen gezwungen
werden; E²ª   19 In Summa]Kurtzab E²ª ward E²ª   eh E²ª   21
Springinsfeldes E²ª   24 bedünckte E²ª   25 solchem E²ª   fing E²ª
27 weise E²ª   28 verloren hatte; E²ª   31 satzte E²ª

welches unangenehmlichen Dings ich mein Lebtag nicht
versucht/ viel weniger gewohnet hatte; Zuletzt brachte
ich einen trefflichen MaulEsel zuwegen/ der nicht allein
schwehr tragen/ sondern auch schneller lauffen konte/ als
manch gutes Pferd; Gleich wie ich nun dergestalt zween
Esel zusammen brachte/ also verpflegte ich sie auch besten
Fleisses/ damit ein jeder seine Dienste desto besser versehen
könnte; Solcher Gestalt nun/ weil ich und meine Bagage
getragen wurde/ konte ich mich auch um etwas besser
patientirn/ und verzögerte also mein Leben/ biß uns der
von Mercy/ in Anfang des Mayen/ bey Herbst-Hausen/
treffliche Stöße gab; Ehe ich aber fortfahre/ solchen meinen
Lebens-Lauf weiters hinaus zu erzehlen/ so will ich dem
Leser zuvor ein artliches Stückel eröffnen/ das mein
damahliger Mann wider seinem Willen ins Werck setzte/
als wir noch im Kintzger Thal lagen.

Er gieng ein/ auf seiner Officier Zumuthen/ und
mein Gutbefinden/ sich in alte Lumpen zu verkleiden/
und mit einer Axt auf der Achsel/ in Gestalt eines armen
exulirenden Zimmermanns/ einige Brieff an Ort und Ende
zu tragen/ dahin sonst niemand zu schicken/ wegen der
Käyserl. Partheyen/ welcher wegen es unsicher war; Solche
Briefe betraffen die Conjunction etlicher Völcker und
anderer Kriegs-Anschläg. Es ware damals von grimmiger
Kälte gleichsam Stein und [249] Bein zusammen gefroren/
so/ daß mich das arme Schaf auf seiner Reise schier getauret
hätte/ doch muste es seyn/ weil ein zimlich Stück Gelt zu
verdienen war/ und er verrichtet auch alles sehr glücklich;
Unterwegs aber fande er einen todten Cörper in seinen
Abwegen/ die er der Enden wol wuste/ welcher ohne Zweiffel
eines Officiers gewesen seyn muß/ weil er ein paar rother
Scharlachener Hosen mit silbern Galaunen verbrämt an-

2 hatte] war E²ᵃ   3 zuwege E²ᵃ   9 ward E²ᵃ   10 patientiren E²ᵃ.³
11 im E²ᵃ   Herbst-Zeiten E¹·²ᵃ·³ vgl. S. 140, 16 Herbsthausen
12 Eh E²ᵃ   14 Stückgen E²ᵃ   15 seinen E²ᵃ.³   satzte E²ᵃ   17
gieng ein] fing an E²ᵃ   Officirer E²ᵃ   18 meine E²ᵃ   20 einzige
Briefe E²ᵃ   21 niemand] jemand E¹   22 es sehr E²ᵃ   24 andere
Kriegs-Anschläge E²ᵃ   war E²ᵃ   vor E³   28 verrichtete E²ᵃ   29
fand E²ᵃ   toden E²ᵃ   30 ohn E²ᵃ   31 Officirers E²ᵃ

hatte/ welcherley Gattung damal die Officier zu tragen
pflegten/ so war sein Köller samt Stiffeln und Sporen/ auch
den Hosen gemäß; Er besahe den Fund/ und konte nicht
ersinnen/ ob der Kerl erfroren/ oder von den Schwartz-
5 wäldern todtgeschlagen worden wäre/ doch galte es ihm
gleich/ welches Tods er gestorben/ das Koller gefiele ihm
so wohl/ daß ers ihm auszog/ und da er dasselbige
hatte/ gelüstet ihn auch nach den Hosen/ welche zu
bekommen/ er zuvor die Stiffel abziehen muste/ solches
10 glückte ihm auch; Als er aber die Hosen herab streiffte/
wolten solche nicht hotten/ weil die Feuchtigkeit des allbereit
verwesenden Cörpers sich unter den Knien herum/ allwo
man dazumal die Hosenbändel zu binden pflegte/ sich
beydes in das Futter und den Uberzug gesetzt hatte/ und
15 dannenhero Schenckel und Hosen wie ein Stein zusammen
gefroren waren; Er hingegen wolte diese Hosen nicht
dahinden lassen/ und weil der Tropff sonst kein ander
Mittel in der Eil sahe/ eins vom andern zu ledigen/ [250]
hiebe er dem Corpo mit seiner Axt die Füsse ab/ packte
20 solche/ samt Hosen und Koller zusammen/ und sande mit
seinem Bündel bey einem Bauren ein solche Gnad/ daß
er bey ihme hintern warmen Stuben-Ofen übernachten
dorffte.

Dieselbe Nacht kälbert dem Bauern zu allem Unglück
25 eine Kuhe/ welches Kalb seine Magd/ wegen der grossen
Kälte in die Stuben trug/ und zu nächst bey meinem Mann
auf eine halbe Well Stro zum Stuben-Ofen setzte; Indessen
war es gegen Tag/ und meines Manns eroberte Hosen
allbereit von den Schenckeln aufgetauet/ derowegen zog er
30 seine Lumpen zum Theil aus/ und hingegen das Köller
und die Hosen/ (die er umkehrte oder letz machte/) an/
ließe sein altes Gelümp samt den Schenckeln beym Kalb
liegen/ stiege zum Fenster hinaus/ und kam wieder glücklich
in unser Quartier.

1 Officirer E²ᵃ   3 nit E²ᵃ   5 galt E²ᵃ   6 welchen Todes E²ᵃ   gefiel E²ᵃ   8 gelüstete E²ᵃ   ihm E³   9 Stiffeln E²ᵃ   11 nit E²ᵃ
16 nit dahinten E²ᵃ   19 hieb E²ᵃ   20 fand E²ᵃ   21 seinen E³   Baur
eine E²ᵃ   22 ihm E²ᵃ   24 kälberte E²ᵃ   Baur E²ᵃ   26 Stube E²ᵃ
27 Welle E²ᵃ   satzte E²ᵃ   28 Mannes E²ᵃ   31 umkehrete E²ᵃ   32
ließ E²ᵃ   Gelümpe E²ᵃ   33 stieg E²ᵃ

138

Des Morgens frühe kam die Magd wiederum/ dem
Kalb Rath zu schaffen/ als sie aber die beyde Schenckel/
samt meines Mannes alten Lumpen und Schurtzfell darbey
ligen sahe/ und meinen Mann nicht sande/ fienge sie an
zu schreien/ als wann sie mitten unter die Mörder gefallen   5
wäre; Sie lieffe zur Stuben hinaus/ und schlug die Thür
hinter ihr zu/ als wann sie der Teuffel gejagt hätte/ von
welchem Lermen dann nicht allein der Bauer/ sondern
auch die gantze Nachbarschafft erwachte/ und sich einbildete/
es wären Krieger vorhanden/ wessenwegen ein Theil [251]   10
ausrisse/ das ander aber sich in die Wehr schickte; Der
Bauer selbst vernahm von der Magd/ welche vor Forcht
und Schrecken zitterte/ die Ursach ihres Geschreys/ daß
nemlich das Kalb dem armen Zimmermann den sie über
Nacht geherbergt/ biß auf die Füsse gefressen/ und ein   15
solches greßliches Gesicht gegen ihr gemacht hätte/ daß sie
glaube/ wann sie sich nicht aus dem Staub gemacht/ daß
es auch an sie gesprungen wäre/ der Bauer wolte das
Kalb mit seinem Knebelspieß nidermachen/ aber sein Weib
wolte ihn in solche Gefahr nicht wagen/ noch in die   20
Stub lassen/ sondern vermittelte/ daß er den Schultheissen
um Hülff ansuchte/ der liesse alsobald der Gemein zusammen
leuten/ um das Hauß gesamter Hand zu stürmen/ und
diesen gemeinen Feind des menschlichen Geschlechts/ ehe
er gar zu einer Kuhe aufwüchse/ bey Zeiten auszureuten;   25
Da sahe man nun ein artliches Spectackel/ wie die Bäurin
ihre Kinder/ und den Haußrath/ zum Kammer-Laden
nacheinander heraus langte/ hingegen die Bauren zu
den Stuben-Fenstern hinein guckten/ und den schröcklichen
Wurm/ samt bey sich liegenden Schenckeln anschaueten/   30
welches ihnen genugsame Zeugnüß einer grossen Grausamkeit
einbildete; Der Schultheiß gebote das Hauß zu stürmen/
und dieses greuliche Wunder-Thier niderzumachen/ aber es
schonete ein jeder seiner Haut; Jeder sagte: Was hat mein

4 fand/fing E²ᵃ   6 lieff E²ᵃ   Stube E²ᵃ   10 wessentwegen E²ᵃ
11 andere E²ᵃ   Wehre E²ᵃ   13 Ursache E²ᵃ   14 den E²ᵃ   16 gemachet E²ᵃ   17 gemachet E²ᵃ   20 nit E²ᵃ   21 Stube E²ᵃ   22
Hülffe ansuchete E²ᵃ   ließ E²ᵃ   Gemeine E²ᵃ   24 Geschlechtes/eh
E²ᵃ   26 Spetakel E²ᵃ   32 gebot E²ᵃ

Weib und Kind darvon/ wann ich umkä= [252] me: Endlich wurde aus eines alten Bauren Rath beschlossen/ daß man das Hauß mit samt dem Kalb/ dessen Mutter vielleicht von einem Lindwurm oder Drachen besprungen worden/ hinweg brennen/ und dem Bauern selbst aus gemeinem Seckel eine Ergötzung und Hülffe thun solte/ ein anders zu bauen; Solches wurde frölich ins Werck gesetzet/ dann sie sich damit trösteten/ sie müsten gedencken/ es hätten solches die Diebs Krieger hinweg gebrandt.

Diese Geschichte machte mich glauben/ mein Mann würde trefflich Glück zu dergleichen Stücken haben/ weil ihm dieses ungefehr begegnet/ ich gedachte/ was würde er erst ins Werck setzen/ wann ich ihn wie hievor den Spring= insfeld abrichte? aber der Tropff war viel zu Eselhafftig und hundsklinckerisch darzu/ über das ist er mir auch bald hernach in dem Treffen vor Herbsthausen todt geblieben/ weil er keinen solchen Schertz verstehen konte.

Das XXVII. Capitel.

Nachdem der Courage Mann in einem Treffen geblieben/ und Courage selbst auf ihrem MaulEsel entrunnen/ trifft sie eine Ziegeuner=Schaar an/ unter welchen der Leutenant sie zum Weib nimmt/ sie sagt einem verliebten Fräulein Waar/ entwendet ihr darüber alle Kleinodien/ behält sie aber nicht lang/ sondern muß solche wol abgeprügelt wieder zustellen.

[253] JN erstgemeltem Treffen kame ich vermittelst meines guten Maulesels darvon/ nach dem ich zuvor meine Zelt und schlechteste Bagage hinweg geworffen/ retterirte mich auch mit dem Rest der übrig gebliebenen Armee/ so wohl als der Touraine selbsten biß nach Cassel; und demnach mein Mann todt geblieben/ und ich niemand

---

1 Kinder davon E²ᵃ   2 ward E²ᵃ   Baurs E²ᵃ   5 Baur E²ᵃ   7 ward E²ᵃ   10 Geschicht E²ᵃ   12 er *fehlt* E³   13 hiebevor E²ᵃ Springsinsfeld abrichtete E²ᵃ   20 Courage] sie E²ᵃ   22 saget E²ᵃ 23 entwendet] entweder E²ᵃ   26 JN erstgemelten E²ᵃ   kam E²ᵃ 27 davon E²ᵃ   28 mein E²ᵃ   29 retirirte E²ᵃ

mehr hatte/ zu dem ich mich hätte gesellen mögen/ oder der
sich meiner angenommen/ nahme ich endlich meine Zuflucht
zu den Ziegeunern/ die sich von der Schwedischen Haubt-
Armada bey den Königsmarckischen Völckern befanden/
welche sich mit uns bey Wartburg conjungirt/ und in dem   5
ich bey ihnen einen Leutenant antraffe/ der gleich meiner
guten Qualitäten und trefflichen Hand zum stehlen/ wie
auch etwas Geldes hinter mir wahr nam/ samt andern
mehr Tugenden/ deren sich diese Art Leuth gebrauchen;
Siehe! so wurde ich gleich sein Weib/ und hatte diesen   10
Vortheil/ daß ich weder Oleum Talci noch ander Schmirsel
mehr bedorffte/ mich weiß und schön zu machen/ weil so
wohl mein Stand selbsten als mein Mann die jenige
Coleur von mir erforderte/ die man des Teuffels Leibfarb
nennet; Derowegen finge ich an/ mich mit Gänß-Schmaltz/   15
Läußsalbe und andern Haarferbenden Unguenten also
fleissig zu beschmiren/ daß ich in kurtzer Zeit so Höll-rigle-
risch aussahe/ als wann ich mitten in Aegypten geboren
worden wäre/ Ich muste offt selbst meiner lachen/ [254]
und mich über meine vielfältige Veränderung verwundern;   20
Nichts desto weniger schickte sich das Ziegeuner-Leben so
wol zu meinem Humor/ daß ich es auch mit keiner Obristin
vertauscht haben wolte; Ich lernete in kurtzer Zeit von
einer alten Aegyptischen Großmutter wahrsagen; lügen und
stehlen aber kunte ich zuvor/ ausser daß ich der Ziegeuner   25
gewöhnliche Handgriff noch nicht wuste/ aber was darffs
viel Wesens? ich wurde in Kürtze so perfect/ daß ich auch
vor eine Generalin aller Ziegeunerinnen hätte passiren
mögen.

Gleichwol aber war ich so schlau nicht/ daß es mir   30
überal ohne Gefahr/ ja ohne Stösse abgangen wäre/
wiewohl ich mehr einheimbschte/ und meinem Mann zu
verschlemmen/ zubrachte/ als sonst meiner zehne: Höret!
wie mirs einsmals so übel gelungen; Wir lagen über

---

1 hätte *fehlt* E²ᵃ 2 angenommen hette/nahm E²ᵃ 4 dem E³ 5
conjugiret E²ᵃ 6 antraf E²ᵃ 9 mehrern E²ᵃ Leute E²ᵃ 10
ward E²ᵃ 14 erfoderte E²ᵃ Leibfarbe E²ᵃ 15 fing E²ᵃ 20 Ver-
änderungen E²ᵃ 26 Handgriffe E²ᵃ nit E²ᵃ 27 ward E²ᵃ 31
überal ohn E²ᵃ ja ohn E²ᵃ 33 zehen E²ᵃ Horet E³

Nacht und ein Tag ohnweit von einer Freunds-Stadt im
vorbey marchiren/ da jederman hinein dorfte/ um seinen
Pfenning einzukauffen/ was er wolte. Ich machte mich
auch hinein/ mehr einzunehmen und zu stehlen/ als Geld
auszugeben/ oder etwas zu kauffen/ weil ich sonst nichts
zu erkauffen gedachte/ als was ich mit fünff Fingern/ oder
sonst einem künstlichen Griff zu erhandeln verhoffte; Ich
war nicht weit die Stadt hinein passirt/ als mir eine
Madamoiselle eine Magd zuschickte/ und mir sagen liesse/
ich solte kommen/ ihrer Fräulein warzusagen/ und von
[255] diesem Boten selbsten vernahm ich gar von weiten/
und gleichsam über hundert Meilen her/ daß ihrer Fräulin
Liebhaber rebellisch worden/ und sich an ein andere gehenckt;
Solches machte ich mir nun trefflich zu Nutz/ dann da
ich zu der Damen kame/ trafe ich mit meiner Wahrsagung
so nett zu/ daß sie auch alle Calendermacherey/ ja der
elenden Madamoisellen Meynung nach/ alle Propheten/
samt ihren Prophezeyhungen übertraffe; Sie klagte mir
endlich ihre Noht/ und begehrte zu vernehmen/ ob ich kein
Mittel wisse/ den variablen Liebhaber zu bannen/ und
wider in das gerechte Glaiß zu bringen? Freylich/ dapfere
Dame! sagte ich/ er muß wieder umkehren/ und sich zu
eurem Gehorsam einstellen/ und sollte er gleich einen
Harnisch anhaben/ wie der grosse Goliath; Nichts an-
genehmers hätte diese verliebte Tröpffin hören mögen/ als
eben diß/ und begehrte auch nichts anders/ als daß meine
Kunst alsobald ins Werck gesetzt würde; Ich sagte: wir
müssen allein seyn/ und es müste alles unbeschrieen zu-
gehen/ darauf wurden ihre Mägd abgeschafft/ und ihnen
das Stillschweigen auferlegt/ ich aber gieng mit der
Madamoisellen in ihr Schlaffkammer/ ich begehrte von
ihr einen Trauer-Schleyer/ den sie gebraucht/ als sie um

1 ein ~ jederman] einen Tag unweit von einer Freundes-Stat/da
im vorbey marchiren/jederman E²ᵃ 8 nit weit in E²ᵃ 9 ließ E²ᵃ
11 weitem E²ᵃ 13 eine E²ᵃ gehengt E²ᵃ 15 Dame kam/traf
E²ᵃ 18 übertraf E²ᵃ 19 begehrete E²ᵃ 23 euerm E²ᵃ 26 begehrete E²ᵃ 27 würden E¹˒³ 29 Mägde abgeschaffet E²ᵃ 31
Madamoiselle E²ᵃ ihre E²ᵃ begehrete E²ᵃ 32 gebrauchet E²ᵃ

ihren Vatter Leyd getragen/ item/ zwey Ohrgehäng/ ein
köstlich Halsgehäng/ das sie eben anhatte/ ihren Gürtel
und liebsten Ring. Als ich diese Kleinodien hatte/ wickelt
ich sie zu⸗ [256] sammen in den Schleyer/ machte etliche
Knöpff daran/ murmelte unterschiedliche närrische Wörter   5
darzu/ und legte alles zusammen in der Verliebten Bette/
hernach sagte ich/ wir müssen miteinander in Keller; da
wir hinkamen/ überredet ich sie/ daß sie sich auszöge/ biß
aufs Hembd/ und unterdessen/ als solches geschahe/ machte
ich etliche wunderbare Characteres an den Boden eines   10
grossen Fasses voll Wein/ zoge endlich den Zapffen heraus/
und befahl der Damen ihren Finger vorzuhalten/ biß ich
die Kunst mit dem Zapffen droben im Hause auch/ der
Gebühr nach verrichtet hätte; Da ich nun das einfältige
Ding dergestalten gleichsam angebunden/ gieng ich hin/   15
und holete die Kleinodien aus ihrem Bette/ mit welchen
ich mich ohnverweilt aus der Stadt machte.

Aber entweder wurde dieser fromme leichtglaubige ver=
liebte samt den Seinigen vom gütigen Himmel beschützt/
oder ihre Kleinodia waren mir sonst nicht bescheret/ dann   20
ehe ich unser Lager mit meiner Beute gar erreichte/ erdappte
mich ein vornehmer Officier aus der Guarnison der solche
wieder von mir forderte; Ich laugnete zwar/ er wiese mir
aber was anders/ doch kan ich nicht sagen/ daß er mich
geprügelt: hingegen aber schweren/ daß er mich rechtschaffen   25
gedegelt habe; Dann nach dem er seinen Diener absteigen
lassen/ um mich zu besuchen/ ich aber demselbigen mit
meinem schröcklichen Ziegeuner⸗ [257] Messer begegnet/ mich
dessen zu erwehren/ sihe! da zog er von Leder/ und
machte mir nicht allein den Kopff voller Beulen/ sondern   30
färbte mir auch Arm/ Lenden und Achseln so blau/ daß
ich wol 4. Wochen daran zu salben/ und zu verblauen
hatte; Ich glaube auch/ der Teuffel hätte biß auf diese
Stund noch nicht aufgehöret zuzuschlagen/ wann ich ihm

1 Ohrgehänge E²ᵃ   5 Knöpfe E²ᵃ   8 überredete E²ᵃ   11 zog E²ᵃ.³
12 Dame E²ᵃ   13 Hauß E²ᵃ   18 ward diese E²ᵃ   19 Seinigen]
Ihrigen E²ᵃ   20 Kleinodien E²ᵃ   nit E²ᵃ   21 eh E²ᵃ   erreichete/
erdappete E²ᵃ   23 foderte E²ᵃ   läugnete E²ᵃ   wieß E²ᵃ   28 be=
gegnete E²ᵃ   34 Stunde E²ᵃ   nit E²ᵃ

meine Beuth nicht wieder hingeworffen. Und dieses war
vor dißmal der Lohn beydes meiner artlichen Erfindung /
und des künstlichen Betrugs selbsten.

Das XXVIII. Capitel.

Courasche kommt mit ihrer Compagnie in ein Dorff /
darinnen Kirchweyh gehalten wird / reitzet einen jungen
Ziegeuner an / eine Henne tod zu schiessen; ihr Mann
stellet sich solchen aufhencken zu lassen / wie nun jederman
im Dorff hinaus lieff / diesem Schauspiel zuzusehen / stahlen
die Ziegeunerinnen alles Gebratens und Gebackens / und
machten sich samt ihrer gantzen Zunfft eiligst und listig
darvon.

UNlängst nach diesem überstandenen Strauß kam unsere
Ziegeunerische Rott von den Königsmarckischen Völckern
wieder zu der Schwedischen Haubt=Armee / die damals
Torstensohn commandirt / und in Böhmen geführt / allwo
dann beyde Heer zusammen kamen; Ich verbliebe samt
meinem Maulesel nicht allein biß [258] nach dem Frieden=
schluß bey dieser Armada / sondern verliese auch die
Ziegeuner nicht / da es bereits Frieden worden war / weil
ich mir das stehlen nicht mehr abzugewöhnen getrauete;
Und demnach ich sehe / daß mein Schreiber noch ein weiß
Blat Papier übrig hat / Also will ich noch zu guter lezt
oder zum Valete ein Stücklein erzehlen / und darauf setzen
lassen / welches mir erst neulich eingefallen / und alsobalden
probirt und practicirt hat werden müssen / bey welchen
der Leser abnehmen kan / was ich sonst möchte ausgerichtet
haben / und wie artlich ich mich zu den Ziegeunern schicke.

---

1 Beute E²ᵃ 5 Courage E²ᵃ 6 darin Kirchweyhe E²ᵃ 8 auff=
hengen E²ᵃ 11 lustig E³ 12 davon E²ᵃ 13 unsre E²ᵃ 14 Rotte
E²ᵃ 16 commandirete E²ᵃ geführet E²ᵃ 17 Heere E²ᵃ verblieb
E²ᵃ verbleibe E³ 19 verließ E²ᵃ 20 nit E²ᵃ Friede E²ᵃ 21
nit E²ᵃ getrauet E³ 22 sahe E²ᵃ 23 als E²ᵃ 25 alsobald
probiret E²ᵃ 26 practiciret E²ᵃ

Wir kamen in Lothringischen Gebiet einsmals gegen
Abend vor einen grossen Flecken/ darinnen eben Kürbe
war/ welcher Ursachen wegen und weil wir einen zimlichen
starcken Troppen von Männern/ Weibern/ Kindern und
Pferden hatten/ uns das Nachtläger rund abgeschlagen   5
wurde; Aber mein Mann/ der sich vor den Obrist Leutenant
ausgab/ versprach bey seinen Adelichen Worten/ daß er
gut vor allen Schaden seyn/ und weme etwas verderbt
oder entwendet würde/ solches aus dem seinigen bezahlen/
und noch darzu den Thäter an Leib und Leben straffen   10
wolte. Wormit er dann endlich nach langer Mühe erhielte/
daß wir aufgenommen wurden. Es roche überall im
Flecken so wol nach dem Kürbe-Gebratens und Gebackens/
daß ich gleich auch einen Lust darzu bekam/ und einen
Ver- [259] druß empfande/ daß die Bauern allein solches   15
fressen solten; erfand auch gleich folgenden Vortheil/ wie
wir dessen theilhafftig werden könten; Ich liesse einen
wackern jungen Kerl aus den Unserigen eine Henne vor
dem Wirthshause todschiessen/ worüber sich alsobald bey
meinem Mann eine grosse Klage über den Thäter erhube;   20
Mein Mann stellte sich schröcklich erzörnet/ und liesse gleich
einen/ den wir vor einen Trompeter bey uns hatten/ die
Unserigen zusammen blasen/ in deme nun solches geschahe/
und sich beydes Bauren und Ziegeuner auf dem Platz
versammleten/ sagte ich etlichen auf unsre Diebs-Sprach/   25
was meine Anschlag wäre/ und daß sich ein jedes Weib
zum zugreiffen gefast machen solte; Also hielte mein
Mann über den Thäter ein kurtzes Standrecht/ und ver-
dammte ihn zum Strang/ weil er seines Obrist Leutenanten
Befelch übergangen/ darauf erscholle alsobald im gantzen   30
Flecken das Geschrey/ daß der Obrist Leutenant einen
Ziegeuner nur wegen einer Hennen wolte hencken lassen;

1 im E²ᵃ   einsmal E²ᵃ   2 darin E²ᵃ   4 Troupen E²ᵃ   5 uns]
und E²ᵃ   6 ward E²ᵃ   Obristen= E²ᵃ   8 wem E²ᵃ   11 Womit E²ᵃ
erhielt E²ᵃ   12 roch E²ᵃ   14 auch eine E²ᵃ   15 empfand E²ᵃ   Bauren E²ᵃ   17 ließ E²ᵃ   19 Wirtshaus E²ᵃ   20 erhub E²ᵃ   21 stellete E²ᵃ   erzörnt E²ᵃ   ließ E²ᵃ   23 indem E²ᵃ   25 unsre Diebs=
Sprache E²ᵃ   27 hielt E²ᵃ   28 verdammete E²ᵃ   29 Obristen=Leu-
tenants E²ᵃ   31 Obrister= E²ᵃ   32 Henne E²ᵃ   hengen E²ᵃ

etlichen bedunckte solche Procedur zu rigorose / andere lobten
uns / daß wir so gute Ordre hielten / einer aus uns muste
den Hencker agiren / welcher auch alsobalden dem Male-
ficanten die Hände auf den Rucken bande / hingegen thät
sich eine junge Ziegeunerin vor dessen Weib aus / entlehnte
von andern drey Kinder / und kam damit auf den Platz
geloffen / sie bath um ihres Manns Leben / und [260] daß
man ihre kleine Kinder bedencken wolte / stelte sich darneben
so kläglich / als wann sie hätte verzweiffeln wollen / mein
Mann aber wollte sie weder sehen noch hören / sondern ließe
den Ubelthäter hinaus gegen einen Wald führen / an ihm
das Urtheil exequiren zu lassen / eben als er vermeinte /
der gantze Flecken hätte sich nunmehr versammlet / den armen
Sünder hencken zu sehen; wie sich dann auch zu solchem
Ende fast alle Innwohner / jung und alt / Weib und Mann /
Knecht und Mägd / Kind und Kegel mit uns hinaus begab /
hingegen ließe gedachte junge Ziegeunerin mit ihren dreyen
entlehnten Kindern nicht ab / zu heulen zu schreyen / und
zu bitten / und da man an den Wald und zu einem
Baum kam / daran der Hennen=Mörder dem Ansehen nach
geknüpfft werden solte / stellte sie sich so erbärmlich / daß
erstlich die Bauren=Weiber / und endlich die Bauren selbst
anfiengen vor den Mißthäter zu bitten / auch nicht aufhöreten /
biß sich mein Mann erweichen ließe / dem armen Sünder
ihrentwegen das Leben zu schencken. In dessen wir nun
ausserhalb dem Dorff diese Comödi agirten / mausten unsere
Weiber im Flecken nach Wunsch / und weil sie nicht nur
die Bratspieß und Fleisch=Häfen leereten / sondern auch hie
und da namhaffte Beuthen aus den Wägen gefischt hatten /
verliessen sie den Flecken und kamen uns entgegen / sich
nicht anders stellend / als wann sie ihre Männer zur
Rebellion [261] wider mich und meinen Mann verhetzten /
um daß er einer kahlen Hennen halber einen so wackern

1 bedünckte E²ᵃ   3 alsobald E²ᵃ   4 Rücken E²ᵃ   band E²ᵃ.³   thät]
gab E²ᵃ   5 entlehnete E²ᵃ   7 Mannes E²ᵃ   10 ließ E²ᵃ   12 ver=
meynete E²ᵃ   14 hengen E²ᵃ   15 Einwohner E²ᵃ   16 Knechte E²ᵃ
Mägde E²ᵃ   17 ließ E²ᵃ   18 nit E²ᵃ   21 stellete E²ᵃ   24 ließ E²ᵃ
26 unsre E²ᵃ   27 nit E²ᵃ   28 Bratspiesse E²ᵃ   hier E²ᵃ   29 dar
E²ᵃ   31 stellende E²ᵃ   33 Henne E²ᵃ

Menschen hätte aufhencken lassen wollen/ dardurch sein
armes Weib zu einer verlassenen Wittib/ und drey un=
schuldige junge Kinder zu armen Wäisen gemacht wären
worden; auf unsere Sprache aber sagten sie/ daß sie gute
Beuthen erschnappt hätten/ mit welchen sich bey Zeiten   5
aus dem Staub zu machen seye/ ehe die Bauren ihren
Verlust innen würden/ darauf schriehe ich den Unserigen
zu/ welche sich rebellisch stellen und sich dem Flecken zu
entfernen/ in den Wald hinein ausreissen solten/ denen
setzte mein Mann und was noch bey ihm war/ mit blosem   10
Degen nach/ ja sie gaben auch Feuer drauf/ und jene
hinwiederum/ doch gar nicht der Meynung jemand zu
treffen; das Bauers=Volck entsetzte sich vor der bevorstehenden
Blutvergießung/ wolte derowegen wieder nach Hauß/ wir
aber verfolgten einander mit stetigem Schiessen/ biß tieff   15
in Wald hinein/ worinn die Unsern alle Weg und Steg
wusten; In Summa/ wir marchirten die gantze Nacht/
theilten am Morgen frühe nicht allein unsere Beuthen/
sondern sonderten uns auch selbsten voneinander in geringere
Gesellschafften/ wodurch wir dann aller Gefahr/ und den   20
Bauern mit unserer Beuth entgangen.

Mit diesen Leuten habe ich gleichsam alle Winckel
Europae seithero unterschiedlichmal [262] durchstrichen und
sehr viel Schelmenstück und Diebsgriffe ersonnen/ angestellt/
und ins Werck gerichtet/ daß man ein gantz rieß Papier   25
haben müste/ wann man solche alle miteinander beschreiben
wolte/ Ja ich glaube nicht/ daß man genug damit hätte;
und eben dessentwegen habe ich mich mein Lebtag über
nichts mehrers verwundert/ als daß man uns in den
Ländern gedultet/ Sintemahl wir weder Gott noch den   30
Menschen nichts nützen noch zudienen begehren/ sondern
uns nur mit Lügen/ Betriegen und Stehlen genähret;
beydes zu schaden des Land=Mans als der grossen Herren
selbst/ denen wir manches stück Wild verzehren; Ich mus

1 auffhengen E²ᵃ   dadurch E²ᵃ   2 Witwe E²ᵃ   3 gemachet E²ᵃ   4
daß sie so E²ᵃ   5 erschnappet E²ᵃ   6 sey/eh E²ᵃ   7 inwürden E²ᵃ
8 und sich] und E²ᵃ   10 satzte E²ᵃ   12 nit E²ᵃ   13 Baurvolk ent=
satzte E²ᵃ   16 unsren E²ᵃ   Wege E²ᵃ   Stege E²ᵃ   18 nit E²ᵃ   20
wodurch E²ᵃ   21 unsrer Beute E²ᵃ   23 unterschiedlichemal E²ᵃ
24 Schelmenstücke E²ᵃ   angestellet E²ᵃ

aber hiervon schweigen/ damit ich uns nicht selbst einen
bösen Rauch mache/ und vermeine nunmehr ohnedas dem
Simplicissimo zu ewigen Spott genugsam geoffenbahrt
zuhaben/ von waserley haaren seine Beyschläfferin im
Sauerbrunnen gewessen/ deren Er sich vor aller Welt so
herrlich gerühmet/ glaube auch wol daß Er an andern
orthen mehr/ wann Er vermeint/ Er habe eines schönen
Frauen=Zimmers genossen/ mit dergleichen Frantzösischen
Huren: oder wohl gar mit Gabel=Reüterinnen betrogen:
und also gar des Teüffels Schwager worden sey.

[263]   Zugab des Autors.

Darum dann nun Ihr züchtige Jüngling/ ihr ehrliche
Wittwer und auch ihr verehlichte Männer/ die ihr euch noch
bißhero vor diesen gefährlichen Chimeris vorgesehen/ denen
schröcklichen Medusen entgangen/ die Ohren vor diesen
verfluchten Sirenen verstopfft/ und diesen unergründlichen
und Bodenlosen Belidibus abgesagt/ oder wenigst mit der
Flucht widerstanden seyt/ lasset euch auch fürterhin diese
Lupas nicht bethören/ dann einmal mehr als gewiß ist/
daß bey Huren=Lieb nichts anders zu gewarten/ als aller=
hand Unreinigkeit/ Schand/ Spott/ Armuth und Elend/
und was das meiste ist/ auch ein böß Gewissen; Da wird
man erst gewahr/ aber zu spat/ was man an ihnen gehabt/
wie unflätig/ wie schändlich/ laussig/ gründig/ unrein/
stinckend/ beydes am Athem/ und am gantzen Leib/ wie sie
inwendig so voll Frantzosen/ und auswendig voller Blattern
gewesen/ daß man sich endlich dessen bey sich selbsten schämen
muß/ und offtermals viel zu spat beklagt.

                    E N D E.

_____

2 ohn das E²ᵃ   3 ewigem E²ᵃ   geoffenbaret E²ᵃ   5 Saurbrunn E²ᵃ
7 vermeynet E²ᵃ   11 Zugabe E²ᵃ   12 Jünglinge E²ᵃ   13 ver=
ehelichte E²ᵃ   verehrlichte E³   14 von E²ᵃ   16 verstopffet E²ᵃ
19 Lupas (geile und unkeusche Wölfinnen) E²ᵃ   20 Huren=Liebe
E²ᵃ   21 Schande E²ᵃ   22 böses E²ᵃ   24 grindig E³   27 schämen
~ beklagt.] schämen/und oftermals viel zuspat beklagen muß. E²ᵃ

148

**Warhafftige Ursach und kurtzgefaster
Inhalt dieses Tractätleins.**

DEmnach die Ziegeunerin Courage aus Simplicissimi
Lebens-Beschreibung lib. 5 cap. 6 vernimmt/ daß er
ihrer mit schlechtem Lob gedenckt; wird sie dermassen über   5
ihn erbittert/ daß sie ihm zu Spott/ ihr selbsten aber zu
eigner Schand/ (worum sie sich aber wenig bekümmert/
weil sie allererst unter den Ziegeunern aller Ehr und
Tugend selbst abgesagt/) ihren ganzen liederlich-geführten
Lebens-Lauff an Tag gibt/ um vor der gantzen Welt   10
gedachten Simplicissimum zu Schanden zu machen; weiln
er sich mit einer so leichten Vettel/ wie sie sich eine zu
seyn bekennet/ auch in Warheit eine gewesen/ zu besudeln
kein Abscheuen getragen/ und noch darzu sich seiner Leichtfertigkeit und Boßheit berühmet; massen daraus zu schliessen/   15
daß Gaul als Gur/ Bub als Hur/ und kein Theil um
ein Haar besser sey/ als das ander; Reibet ihm darneben
trefflich ein/ wie meisterlich sie ihn hingegen bezahlt/ und
betrogen habe.

---

1 Ursache E²ᵃ   2 Einhalt E²ᵃ   5 gedencket E²ᵃ   7 Schande/ (warum
E²ᵃ   8 Ehre E²ᵃ   10 an den E²ᵃ   gibet E²ᵃ   16 Bube E²ᵃ   Hure
E²ᵃ